Corneille

Rodogune

*Édition présentée, établie et annotée
par Jean Serroy*
Professeur à l'Université Stendhal de Grenoble

Gallimard

PRÉFACE

Noir, c'est noir. Et la tragédie, quand elle est poussée à ses limites extrêmes, a ceci de terrible qu'elle laisse le spectateur dans les ténèbres épaisses de l'horreur et de la désespérance. Là est la véritable violence, à laquelle répugne la scène française, polie par des siècles de conventions et de goût, et régie, sous sa grande forme classique, par des normes de bienséance qui excluent tout débordement. D'où cette idée reçue que, même dans son expression la plus pure, le théâtre tragique garde en France une forme de retenue et qu'il n'atteint jamais à cet absolu de la violence qu'on trouve, par exemple, au plus haut degré dans la tragédie antique ou dans le drame shakespearien.

Le jugement est fondé, mais y souscrire sans réserve revient sans doute à aller un peu vite. Si l'on veut se persuader du contraire, il suffit par exemple de lire Rodogune. Stendhal, qui avait l'œil expert, jugeait même que le dernier acte de la pièce de Corneille surpasse ce que l'on trouve de mieux dans tout Shakespeare lui-même! C'est dire... Il est vrai, pour autant, que, lorsqu'on cherche à illustrer le fameux héroïsme cornélien, ce n'est pas de ce côté-là qu'on va voir généralement. Et la réception de la pièce, longtemps appréciée avant d'être rejetée dans les oubliettes de la mémoire collective, tout autant que l'absence de place qui lui est faite dans le panthéon scolaire des grandes tragédies cornéliennes à apprendre et réciter par cœur n'ont pas peu contribué à lui donner une position quasi marginale dans l'œuvre. Et même l'intérêt porté depuis peu à « l'autre Corneille », celui des comédies du début et des tragédies de la fin, laisse de côté une pièce qui est de la pleine maturité mais qui, en 1644-1645, à mi-chemin entre Horace et Cinna d'un côté et Nicomède de l'autre, s'efface derrière la notoriété de ce que l'on considère traditionnellement comme les chefs-d'œuvre de la tragédie cornélienne.

Corneille lui-même en était conscient, qui, dans l'*Examen* qu'il fait de la pièce en 1660, ne craint pas de marquer sa prédilection pour elle, en sachant qu'il va à l'encontre du jugement courant : « On m'a souvent fait une question à la cour, écrit-il : quel était celui de mes poèmes que j'estimais le plus ; et j'ai trouvé tous ceux qui me l'ont faite si prévenus en faveur de Cinna, ou du Cid, que je n'ai jamais osé déclarer toute la tendresse que j'ai toujours eue pour celui-ci, à qui j'aurais volontiers donné mon suffrage, si je n'avais craint de manquer en quelque sorte au respect que je devais à ceux que je voyais pencher d'un autre côté » (p. 48). Même s'il n'est pas toujours recommandé d'être à la fois juge et partie, la préférence que manifeste le dramaturge pour Rodogune, qu'il place au-dessus même des pièces qui ont fait sa gloire, mérite d'être prise en compte. Elle traduit, à tout le moins, que pour lui, Corneille, celle de ses pièces qui répond le mieux à son goût propre et qui, comme il le dit, lui « semble être un peu plus à [lui] que celles qui l'ont précédée, à cause des incidents surprenants qui sont purement de [s]on invention et n'avaient jamais été vus au théâtre », celle donc qui est, à ses yeux, la plus purement « cornélienne », c'est Rodogune.

   *Voilà une analyse qui tranche avec les exégèses habi-
tuelles et qui, si ce n'était Corneille lui-même qui la propo-
sait, risquerait fort d'être mal notée ! Elle engage, en tout cas,
à relire* Rodogune *en la replaçant dans le contexte général
de l'œuvre. Et du coup à donner à cette œuvre même, en
l'envisageant à partir de* Rodogune, *une perspective qui,
pour être inhabituelle, n'en est que plus révélatrice.*

UNE TRAGÉDIE IMPLEXE

   *Contrairement à Racine, dont l'œuvre, dense et ramas-
sée, est marquée par une forte unité, Corneille offre, à qui
veut bien ne pas s'attacher aux seules pièces habituellement
désignées comme « cornéliennes », une variété assez éton-
nante. Non seulement sa carrière dramatique est longue
— quarante-cinq ans, de* Mélite *en 1629 à* Suréna *en
1674 —, mais elle offre à peu près tous les genres qui
se pratiquent sur la scène du temps : comédies, comédies
héroïques, tragi-comédies, tragédies, pièces à machines...
Et si la pastorale n'y figure pas en tant que telle, son
influence, sur les premières pièces en particulier, y est sensible. C'est dire déjà que réduire l'œuvre à sa seule veine
tragique n'en traduit pas la réalité diversifiée, tout comme
dégager l'idée d'un « héros cornélien » d'après quelques pièces
seulement procède d'une visée limitative.*

   *La création cornélienne est une longue marche, où chaque
étape est le résultat des étapes précédentes et le seuil nécessaire vers les étapes futures.* Rodogune *ne fait pas exception : son cas est, simplement, plus lourd de sens que
d'autres. Si l'on regarde en effet de près ces années 1643-
1647 qui forment le contexte immédiat de la création de la
pièce, on s'aperçoit qu'elles constituent comme un concentré*

*des problèmes dramatiques et thématiques que pose la créa-
tion cornélienne. Durant la saison 1644-1645, Corneille
clôt en effet, et définitivement, ce qui avait été sa veine première, la comédie, avec* La Suite du Menteur. *Et encore
s'agit-il, par rapport au* Menteur *créé la saison précédente
et dont la pièce est présentée comme la* Suite, *d'une comédie
beaucoup plus romanesque, touchant de près à la comédie
héroïque voire à la tragi-comédie : comme le passage brouillé
d'un genre à l'autre, la dilution d'éléments comiques dans
d'autres qui ne ressortissent pas au même registre. Après
quoi il passe, avec* Rodogune, *à la plus noire de ses tragédies, dans une tonalité que confirment les deux pièces qui
suivent,* Théodore *et* Héraclius.*

On est là, avec les deux comédies du Menteur *et de sa*
Suite *d'un côté, les trois tragédies noires de l'autre, aux
deux pôles de la création cornélienne, aux deux extrêmes
opposés, par rapport à ce qui pourrait figurer la norme centrale, celle que donnait* Le Cid, *cette tragi-comédie tendant
vers la tragédie, ou encore* Cinna, *cette tragédie à fin
heureuse.*

La distinction que Corneille lui-même fait, dans son
Examen de Cinna, *de deux types de pièces — celles
« simples », dont* Cinna *est précisément le modèle, et celles
qu'il appelle les « pièces embarrassées, qu'en termes de l'Art
on nomme* implexes, *par un mot emprunté du latin,
telles que sont* Rodogune *et* Héraclius » — *confirme,
sur le plan dramatique, la spécificité de ces tragédies des
années 1644-1646, et invite à les rapprocher de la même
complexité qu'on trouvait dans les comédies : les imbroglios
du* Menteur *et de la* Suite, *eux-mêmes héritiers des complications sentimentales des premières comédies et des jeux
complexes de la réalité et de l'apparence qui faisaient le
fond de* L'Illusion comique, *ne sont pas si éloignés des*

jeux confus de la gémellité et de l'incertitude qui règne, dans Rodogune, *sur l'identité du prince appelé à régner, tout comme ils ne peuvent manquer de faire penser à l'incroyable embrouillamini que constitue l'identité des personnages d'*Héraclius, *si compliqué même que Corneille prend la précaution de le signaler à l'avance à son lecteur, dans l'Avertissement qui précède la pièce, pour qu'il puisse lire «avec moins d'obscurité» les «incidents d'un poème si embarrassé» : «Vous vous souviendrez seulement qu'Héraclius passe pour Martian fils de Phocas, et Martian pour Léonce fils de Léontine, et que Héraclius sait qui il est et qui est ce faux Léonce, mais que le vrai Martian, Phocas ni Pulchérie n'en savent rien, non plus que le reste des acteurs, hormis Léontine et sa fille Eudoxe»!*

C'est poser, de façon directe, à travers ces complexités de situations et d'identités, la question de la structure dramatique. Tout en se préoccupant de fort près de la règle des trois unités, Corneille ne renonce pas à la dramaturgie foisonnante dont la tragi-comédie des premières décennies du siècle donnait le modèle. La richesse de l'action dramatique peut se réduire au minimum dans ce qu'il appelle les pièces simples, qui présentent, comme Cinna, *un sujet «ni trop chargé d'incidents, ni trop embarrassé des récits de ce qui s'est passé avant le commencement de la pièce». Mais, à cette dramaturgie resserrée, dont finalement ne relèvent que quatre ou cinq des tragédies dans l'ensemble de l'œuvre, la grande majorité des pièces cornéliennes préfèrent une dramaturgie* implexe, *qui est conditionnée par une situation antérieure lourde de toute sorte de développements, qui joue de toutes les ressources d'une intrigue à rebondissements, qui agence un nœud entremêlé de façon quasi inextricable, et qui le démêle dans un dénouement nécessitant chaque fois une habileté extrême. Il y a là, pour un auteur drama-*

tique, une sorte d'art pour l'art de l'intrigue qui n'est pas pour rien dans la tendresse que Corneille porte à Rodogune, dont il pense que c'est elle qui traduit le mieux toute sa virtuosité. Dans l'Examen, faisant le compte des mérites de sa pièce — « elle a tout ensemble la beauté du sujet, la nouveauté des fictions, la force des vers, la facilité de l'expression, la solidité du raisonnement, la chaleur des passions, les tendresses de l'amour et de l'amitié » —, il voit dans la qualité de sa structure dramatique sa vertu théâtrale première, celle qui magnifie toutes les autres : « Et cet heureux assemblage est ménagé de sorte qu'elle s'élève d'acte en acte. Le second passe le premier, le troisième est au-dessus du second, et le dernier l'emporte sur tous les autres » (p. 49).

Rodogune est en effet ce qu'on peut appeler une parfaite tragédie à intrigues — comme on dit d'une comédie qu'elle est à intrigues —, où l'action naît d'une situation porteuse de toutes les complications possibles, et où sa progression ménage elle-même des effets de surprise et de tension qui culminent dans un dénouement longtemps suspendu et attendu, et ressenti comme d'autant plus brutal lorsqu'il intervient. Si les choses sont si compliquées en ce jour exceptionnel où doit se régler le sort dynastique du royaume de Syrie, c'est que, en amont de ce moment clairement annoncé — dès le premier vers — comme devant être celui du dénouement d'une situation depuis longtemps nouée, les événements se sont multipliés qui ont chargé le contexte politique et affectif de faits et de comportements multiples, complexes, antagonistes. « Cet heureux jour [qui] luit » et qui va « dissiper la nuit » n'est pas seulement celui qui va faire resplendir l'éclat d'un règne, il est celui qui va jeter la lumière sur les obscurités profondes, les zones secrètes où l'enchaînement brouillé des événements épaissit encore la confusion des sentiments. Il ne faut pas moins de deux longues scènes de récit rétrospectif pour que Laonice puisse expliquer à Timagène, qui, pourtant, connaît globalement la situation, l'enchevêtrement quasi inextricable qui a conduit à la situation présente. Et encore cette exposition est-elle si dense et compliquée que Corneille prend bien soin, avec l'arrivée d'Antiochus puis de Séleucus qui viennent interrompre un temps le récit de la confidente, de la scinder en deux parties, ce qui a à la fois pour avantage de faire jouer un effet d'attente mais surtout de ménager une pause nécessaire à une bonne assimilation par l'auditeur — Timagène sur scène, le spectateur dans la salle — de toute la complexité de la situation !

Or, des multiples événements qui ont marqué l'histoire récente du royaume de Syrie et de ses relations avec son ennemi parthe, deux grandes composantes émergent progressivement, qui se trouvent intimement nouées. D'un côté, la situation politique fait apparaître, conforme au côté retors qu'on prête aux royaumes orientaux, riches en intrigues et en cruautés, un socle de complications et de combinaisons qui offre à peu près tout ce qu'on peut imaginer en la matière : une guerre entre deux pays ennemis, un monarque vaincu, fait prisonnier et bientôt donné comme mort, un félon séditieux qui en profite pour prendre le pouvoir, une reine restée veuve que la pression populaire amène à épouser son beau-frère, le châtiment de l'usurpateur, le refus du nouveau roi de laisser la couronne à l'un des fils de son frère défunt, la nouvelle guerre qu'il entreprend contre le royaume ennemi, sa mort au combat, l'annonce que le vrai roi n'était pas mort et qu'il s'apprête à épouser une princesse ennemie pour en faire sa reine, la guerre menée contre lui et ses nouveaux alliés par son épouse légitime, la victoire de celle-ci tuant de sa propre main son mari qui l'a trompée, la capture de la princesse ennemie qu'il s'apprêtait *à épouser, l'amour que celle-ci inspire aussitôt aux deux fils de la reine victorieuse, la décision prise par cette dernière de se retirer en désignant celui des deux qui est l'héritier légitime... On comprend que Corneille ait besoin de deux scènes entières pour débroussailler pareille situation ! Et l'on comprend aussi que la situation présente, en ce jour qui doit tout régler, est lourde de toutes les menaces que la multiplicité et l'enchevêtrement des faits, des morts qu'ils ont entraînées, des intérêts qu'ils ont soulevés et des passions qu'ils ont fait naître, font peser sur les protagonistes d'un drame qui attend toujours sa solution.*

Or, et c'est là la seconde composante qui vient donner à ce nœud de rivalités guerrières et dynastiques une charge de violence intime échappant à la seule raison politique, les acteurs de cette sombre histoire ne sont pas seulement des rois, des reines, des princes, des princesses, ils sont aussi des époux, des femmes, des mères, des fils, des frères, des amants, des fiancées. Les intrigues d'État sont aussi des questions de famille et recouvrent des affaires de cœur, d'amour et de haine. La dimension publique, qui fait la tragédie politique, est indissolublement liée à la dimension privée, qui fait le drame passionnel. Cléopâtre est, tout à la fois, la reine qui mène la guerre contre l'ennemi extérieur, le Parthe, et contre l'ennemi intérieur, l'usurpateur Tryphon, celle qui assure la continuité et la légitimité du pouvoir, celle qui doit remettre la couronne à celui de ses deux fils qu'elle désignera comme étant l'héritier du trône ; mais elle est aussi l'épouse trompée de Démétrius Nicanor, qui lui préfère une rivale, et elle est encore l'épouse contrainte d'Antiochus Sidétès, et elle est bientôt la veuve de Nicanor, mais aussi sa meurtrière, tout comme elle est la rivale de Rodogune qui lui a pris le cœur de Nicanor son époux, avant de lui ravir maintenant celui de ses deux fils, Antiochus et Séleucus. Et si la reine de Syrie est au centre de ces feux croisés du pouvoir et du sentiment, tous ceux qui l'entourent en subissent comme elle les effets incendiaires : Rodogune, princesse parthe appelée, deux fois successivement, à devenir reine de Syrie, mais aussi amoureuse de Nicanor, le père, avant de l'être d'Antiochus, le fils, et voulant échapper à la haine jalouse de cette Cléopâtre qui est à la fois sa rivale publique, la reine en place, et son ennemie privée, l'épouse et la mère des deux hommes qu'elle aime tour à tour. Et Antiochus, dont l'accession au trône passe par la haine d'une mère et l'amour d'une quasi belle-mère, tandis que les sentiments fraternels qui l'unissent à Séleucus se voient mis en jeu tout à la fois par la possession d'une même couronne et par le cœur d'une même femme.

La tragédie implexe a ceci de particulier qu'elle complique non seulement la situation mais qu'elle mêle le public et le privé, sans que l'on puisse jamais démêler tout à fait quelle est la part de l'un et la part de l'autre dans la façon dont les personnages agissent et réagissent. Quel est le plus fort, chez Cléopâtre, de la passion du pouvoir et du désir de vengeance ? Ou ne serait-ce pas plutôt que chacun se nourrit alternativement de l'autre ? Corneille n'a pas à le dire, qui n'est ni exégète politique ni psychanalyste, mais homme de théâtre. Lorsque Cléopâtre meurt, elle évoque tout à la fois sa « haine » et cette douceur qu'elle trouve « de ne voir point régner [s]a rivale en [s]a place » : il y a là, jusque dans le double sens, politique et amoureux, du mot « rivale », toute l'ambiguïté floue que conservent les zones profondes du cœur humain et que traduit, sur une scène encombrée et grouillante, la complexité structurelle de l'action.

Ce côté brouillé, loin de nuire à la tension dramatique, en renforce le pouvoir spectaculaire. Tout étant possible, l'inattendu, dans Rodogune, est sans cesse attendu. Il est

même ce qui constitue la marche heurtée, faite de rebondis-
sements incessants, vers un dénouement qui apparaît comme
un horizon d'attente. On a toujours, et Corneille le premier,
souligné la force extraordinaire d'un cinquième acte qui
laisse le spectateur pantois. Mais cet acte de dénouement
n'est lui-même que la résultante d'une situation qui n'a
cessé d'être suspendue et de passer, d'un acte à l'autre, de
suspens en suspens : Antiochus et Séleucus se découvrant
tous deux amoureux de la même Rodogune et tous deux
prêts à laisser le trône à l'autre contre le cœur de la jeune
femme; tous deux répondant à leur malheureuse rivalité en
décidant d'un commun accord de suivre la décision de
Cléopâtre qui fera de l'un d'eux à la fois le roi de Syrie et
l'époux de Rodogune; la vengeance escomptée de Cléopâtre
qui veut la mort de Rodogune; la proposition qu'elle fait à
ses fils de se charger de cette vengeance en faisant dispa-
raître Rodogune; l'hésitation sur la conduite à tenir qui
divise l'un et l'autre frères; la tentation pour Rodogune de
jouer les fils contre la mère, et la décision qu'elle prend de
leur demander de venger leur père en éliminant Cléopâtre;
le retrait de Séleucus et l'espoir d'Antiochus, qui se découvre
l'élu du cœur de Rodogune; l'affrontement du fils avec la
mère, et la feinte soumission de Cléopâtre qui déclare Antio-
chus l'aîné et qui lui donne ainsi et la couronne et Rodo-
gune; son revirement devant Séleucus dont elle essaie
d'exciter la jalousie; le refus de la suivre affirmé par celui-
ci et la décision qu'elle prend de s'en débarrasser le pre-
mier... Tout, lorsque commence le dernier acte, fait que
l'action, jusque-là tenue en suspens, doit, maintenant que
Séleucus a été mis à mort, accélérer la mécanique de l'élimi-
nation finale. Des quatre protagonistes, l'un vient de dis-
paraître : qui lui succédera ? Le sort hésite, autour de cette
coupe empoisonnée qui passe de main en main. Boira,

boira pas ? Mourra, mourra pas ? La mort retient son souffle. Et quand arrive la nouvelle de l'assassinat de Séleucus, là encore l'incertitude joue : de l'ambivalence de ses dernières paroles et de l'ambivalence qui lui correspond dans l'attitude des deux coupables possibles, Antiochus ne sait que conclure et qui croire, de Cléopâtre ou de Rodogune. Le dilemme est insoluble, tandis que la coupe, hitchcockienne, est là, passant de main en main, qui attend son heure. Celle-ci arrive, lorsque Cléopâtre s'en saisit et boit, pensant ainsi entraîner à boire après elle le couple dont elle veut la mort. Mais le verdict, une fois encore, demeure suspendu, lié au temps que met le poison à faire son effet. La tuera-t-il avant que les deux autres ne boivent à leur tour ? Mourra-t-elle, mourra-t-elle pas ? Boiront-ils, boiront-ils pas ? Elle meurt, avant qu'ils aient eu le temps de boire. Et tout est consommé.

L'HÉROÏSME DU MAL

Cléopâtre meurt, et l'effort ultime qu'elle fait pour aller mourir hors de scène, loin de ce théâtre sanglant qu'elle a empli de ses crimes, traduit une volonté d'échapper à « l'affront » suprême : la honte de tomber aux pieds de ses rivaux. Il y a là, sans doute, un souci formel de bienséance, qui permet à Corneille, en soustrayant la mort de son héroïne à la vision des spectateurs, de respecter la lettre de la règle. Mais il n'en respecte guère l'esprit : la description minutieuse donnée par Rodogune des symptômes physiques de l'empoisonnement — yeux égarés et troubles, sueur qui envahit le visage, gorge qui s'enfle — fonctionne comme une mise en scène expressionniste de cette mort, dont la lente sortie de Cléopâtre vacillante, appuyée sur Laonice, dilate encore l'ef-

*fet. Le suspens arrivé à son terme se prolonge par un der-
nier jeu de scène, faisant ressentir, une fois l'héroïne enfin
sortie, le vide qu'elle a fait autour d'elle. Et les paroles de
circonstances d'Oronte, pâle sacrifice fait à la convenance
morale, laissent place au désarroi d'Antiochus, dont le côté
funèbre donne au souhait de se rendre les Dieux «plus propices» comme un caractère de vœu pieux.*

*Car c'est Cléopâtre qui, par la force spectaculaire de la
haine qui vient de l'emporter, a le dernier mot, et l'affirmation par Oronte que «la coupable est punie» ne fait que
plus profondément ressentir, pour qui vient d'assister à ce
finale effarant, que, malgré sa mort, c'est elle qui a gagné
et, qu'avec elle, le mal a fait son œuvre. Volonté tyrannique
de pouvoir ou haine intime, passion politique ou sentiments personnels, ce qui fait agir Cléopâtre ne relève pas
des valeurs que la morale commune impose. Héroïne de la
pièce au sens dramatique du terme, puisqu'elle en commande les ressorts, est-elle donc, dans ces conditions, une
héroïne cornélienne ? Quoi de commun entre la haute tenue
morale qu'illustrent le choix de Rodrigue, la détermination
d'Horace, la clémence d'Auguste, le sacrifice de Polyeucte,
et le caractère démoniaque de la «rage» de Cléopâtre, que
Rodogune ne manque pas de relever ? Pour répondre à la
question, c'est la nature même du héros cornélien qu'il s'agit
d'interroger.*

*En constatant d'abord que ledit héroïsme n'a justement
pas pour référence le code des valeurs communes : la déme-
sure des héros cornéliens, jusque dans l'exaltation même de
leur vertu, est un signe qu'ils échappent au lot commun,
aux valeurs tièdes. La noblesse de cœur qui est la leur est
fondamentalement élitiste, et l'on a pu avec raison y voir la
traduction d'une aristocratie jetant ses derniers feux avec
tout le panache de l'ostentation. Que cette force individua-*

liste et cette superbe foncièrement centrifuge se soumettent à la valeur collective d'un État moderne en train de naître — Rodrigue devenant le Cid, en se mettant au service du roi — est sans doute aussi, comme on l'a si souvent dit, la leçon politique d'un théâtre portant à la scène les tensions mêmes de son temps, et la transfiguration symbolique d'une noblesse rétive se pliant tant bien que mal à un pouvoir central de plus en plus dominateur, et auquel, en contre-partie, Corneille recommande la clémence et la hauteur d'âme comme ligne de conduite. Mais, dans cette soumission même, l'orgueil jamais ne fait défaut. Il est même le signe distinc-tif d'un héros capable — voir Horace tuant sa sœur — de sacrifier à ce qu'il ressent comme son devoir les liens du sang, et capable encore — voir Polyeucte allant briser les idoles — de pousser son héroïsme là où Dieu même, par la voix de son Église, ne lui demande pas d'aller. Le héros de Corneille ne conçoit pas la grandeur sans son excès. C'est ce qui donne à sa geste dramatique un côté si spectaculaire, baroque si l'on veut.

Or cette grandeur, elle ne se définit pas par rapport à la norme morale, mais elle établit son propre code de valeurs. Les grandes tragédies des années 1637-1642, du Cid à Polyeucte, *ont marqué, en accord avec l'ordre d'État ins-tauré par* Richelieu, *l'accomplissement du héros par sa sou-mission maîtrisée à un ordre transcendant — l'honneur, l'État, Dieu. Mais, en 1644-1645, au moment de* Rodo-gune, *Richelieu et Louis XIII sont morts, le pouvoir est aux mains d'une régente affaiblie et d'un ministre méprisé, les grandes valeurs transcendantes vacillent. Le politique ne saurait plus être une référence :* La Mort de Pompée, *fin 1643, le dit de façon explicite. Comment dès lors, pour un héros privé de grandes causes, être cornélien ? La réponse est simple, et Corneille l'a élaborée en fait dès ses premières* comédies, dès ce personnage emblématique de sa conception de l'héroïsme qu'est l'Alidor de La Place Royale : *le héros ne saurait être héroïque qu'en faisant de lui-même sa propre finalité.* « C'est de moi seulement que je prendrai la loi » (V, 8, v. 1581), disait déjà celui qui accomplissait sa propre liberté en refusant l'amour, et qui allait jusqu'à tout sacrifier pour être douloureusement lui-même. Héros comique, a-t-on dit d'Alidor, sublime mais dérisoire, mais héros fondamentalement cornélien, qui offre à Corneille le prototype, et même l'archétype de tous ceux qui vont lui succéder. Médée, *immédiatement après* La Place Royale, *en offre le versant tragique :* la fureur amoureuse la porte à l'extrême de la violence et de la barbarie. Mais c'est ainsi qu'elle est elle-même : « Dans un si grand revers que vous reste-t-il ? » lui demande Nérine. La réponse est limpide : « Moi. / Moi, dis-je, et c'est assez » (I, 4, v. 316-317).

Cléopâtre, dit Corneille, est une « seconde Médée ». Au-delà du rapprochement que suscite la figure mythologique de la mère infanticide, il y a là, plus intéressante, l'affirmation d'une continuité. *Cette continuité, il n'y a pas lieu de l'interrompre :* le héros cornélien, de pièce en pièce, exprime la même affirmation de liberté à travers l'exaltation de son moi. *Simplement, le contexte, la tonalité, l'éclairage changent.* Que cette exaltation soit simple enflure et illusion sur sa propre grandeur, et le héros n'est à lui-même que son ombre comique : Matamore. Que cette exaltation se mette au service d'un intérêt supérieur, et c'est le héros romain, Horace, Auguste, ou, dans sa version chrétienne, Polyeucte. Que cette exaltation ne cherche qu'à traduire sa propre soif d'être soi-même, d'accomplir sa liberté en s'affranchissant de toute limite, y compris morale, et c'est le héros qu'on pourrait dire pur, extrême, absolu : Alidor, ou Cléopâtre...

On a sans doute tort de s'interroger sans fin sur les moti-

vations psychologiques de la reine, sur sa libido domi-
nandi, *sur sa haine, sur son ambition, sur sa conception
machiavélique du pouvoir, sur son désir de vengeance. Tous
ces sentiments, certes, jouent leur rôle, et sans doute tous à
la fois. Mais ils ne sont jamais qu'au service de ce désir
d'être elle-même que la reine manifeste envers et contre tout :
« Tombe sur moi le Ciel, pourvu que je me venge » (V, 1,
v. 1532), dit-elle. Pour s'accomplir en tant que telle, Cléopâtre va au-delà de tout : c'est en jouant sa propre vie, en
buvant la coupe empoisonnée, qu'elle se réalise. Sa mort est
son triomphe, même si elle n'est pas suivie des effets meur-
triers immédiats qu'elle en escomptait : « Je maudirais les
Dieux s'ils me rendaient le jour » (V, 4, v. 1826), dit-elle
dans un dernier soupir, sanctifiant en quelque sorte cette
mort qui la fait conforme à ce qu'elle a voulu être. Personnage terrible, au sens propre, qui suscite la terreur tragique,
mais qui suscite aussi l'étonnement au sens que l'entendait
le XVIIe siècle, c'est-à-dire cette véritable stupéfaction, qui
laisse abasourdi. C'est en ce sens qu'il faut comprendre tout
l'intérêt que Corneille porte à son personnage : « Tous ses
crimes sont accompagnés d'une grandeur d'âme, qui a
quelque chose de si haut, qu'en même temps qu'on déteste
ses actions, on admire la source dont elles partent », écrit-il
dans le* Discours du poème dramatique. *La formule est
révélatrice, qui dissocie la « grandeur d'âme », qui fait le
héros, de la morale. La « hauteur » de Cléopâtre est dans
ses crimes : on doit les exécrer, et c'est ce que suggère un
dénouement qui, selon la formule d'Oronte, punit la coupable. Mais on ne peut que ressentir leur force tragique, les
« admirer » dans ce qui en fait la source : cette volonté
d'être soi-même jusqu'au bout, de s'éprouver au-dessus des
lois morales, d'aller même jusqu'à braver la nature et les
sentiments les plus sacrés, comme l'amour maternel, pour*

s'accomplir. Le héros du mal qu'est Cléopâtre, dans son côté dénaturé — « Sors de mon cœur, Nature » (IV, 7, v. 1491) — et presque satanique, est animé par cette « grandeur d'âme » qui est l'élément constitutif fondamental de l'héroïsme cornélien.

Faut-il, après cela, chercher à donner à la pièce valeur quasi spirituelle et voir dans la punition qui la frappe intervention de la Providence divine ? Oui, si l'on pense que Corneille, s'emparant du mythe tragique grec à travers des personnages qui font écho à la légende de Médée comme à celle d'Électre, d'Oreste et de Clytemnestre, en transforme le sens dans une visée chrétienne, et s'interroge sur cette question forte qui est celle du libre arbitre. Mais c'est sans doute vouloir donner à la tragédie fonction trop systématiquement didactique que d'y voir, à travers ces instruments de la volonté divine que seraient Antiochus et Rodogune, une leçon morale, un châtiment infligé au Mal par la divine Providence. Le « juste Ciel » dont Oronte fait état sent, on l'a déjà dit, ses paroles de circonstance — que pourrait-il dire d'autre... ? —, et le résultat des sacrifices aux Dieux qu'évoque Antiochus pour finir reste soumis à un futur hypothétique :

Et nous verrons après, par d'autres sacrifices,
Si les Dieux voudront être à nos vœux plus propices.
                              (V, 4, v. 1843-1844).

L'effet tragique qui subsiste, ce ne sont pas ces quelques mots, auxquels Antiochus lui-même, qui un peu plus tôt dénonçait un « Ciel trop lent » (V, 4, v. 1779), ne croit peut-être même pas, mais c'est bien la mort exaltée et rageuse de Cléopâtre, et ses dernières imprécations pleines de bruit et de fureur :

Puissiez-vous ne trouver dedans votre union
Qu'horreur, que jalousie, et que confusion,
Et pour vous souhaiter tous les malheurs ensemble,
Puisse naître de vous un fils qui me ressemble.
                              (V, 4, v. 1821-1824).

La malédiction ultime que jette la reine est lourde de menaces futures. Et elle dit que le ventre est fécond, et que la bête n'est pas morte, qui se reproduira...

DOUBLE JEU

Ambigu, donc, pour le moins, un dénouement qui, en suscitant les interprétations les plus contradictoires, a fait que Rodogune, *si longtemps prisée à la scène avant d'en disparaître de façon prolongée, est en quelque sorte revenue sur le devant du théâtre cornélien par le biais de la critique qui, depuis une cinquantaine d'années, en a fait un de ses objets de réflexion favori, en se posant à son sujet toute sorte de questions et en en proposant les explications les plus diverses : pièce aux vertus essentiellement dramatiques, texte fondamentalement politique, tragédie à symbolique chrétienne... Cette ambiguïté du dénouement, et partant du sens qu'on peut être amené à donner à la pièce, n'est pas forcément un signe négatif, si l'on remarque qu'elle répond à la nature profonde d'une œuvre dont le titre lui-même apparaît, dès l'abord, comme un curieux trompe-l'œil. Corneille, certes, s'est expliqué, dans l'Avertissement, sur ce choix qui l'amène à donner à sa pièce le nom d'un personnage qui, selon la stricte définition dramatique, n'en est pas le personnage principal : «On s'étonnera peut-être de ce que j'ai donné à cette tragédie le nom de* Rodogune, *plutôt que celui de* Cléopâtre *sur qui tombe toute l'action tragique ; et même on pourra douter si la liberté de la poésie peut s'étendre jusqu'à feindre un sujet entier sous des noms véritables, comme j'ai fait ici, où depuis la narration du premier acte qui sert de fondement au reste, jusques aux effets qui paraissent dans le cinquième, il n'y a rien que l'Histoire avoue. Pour le premier, je confesse ingénument que ce poème devait plutôt porter le nom de* Cléopâtre, *que de* Rodogune ; *mais ce qui m'a fait en user ainsi a été la peur que j'ai eue qu'à ce nom le peuple ne se laissât préoccuper des idées de cette fameuse et dernière reine d'Égypte, et ne confondît cette reine de Syrie avec elle, s'il l'entendait prononcer. [...] Pour le second point, [...] j'ai cru que, pourvu que nous conservassions les effets de l'Histoire, toutes les circonstances, ou comme je viens de les nommer, les acheminements, étaient en notre pouvoir ; au moins je ne pense point avoir vu de règle qui restreigne cette liberté que j'ai prise »* (p. 44).

La raison invoquée — le risque de confusion avec l'autre Cléopâtre, la « vraie », du moins celle connue comme telle par le public, et que Corneille lui-même, d'ailleurs, venait tout juste de mettre en scène dans La Mort de Pompée — est évidemment recevable, et la justification qu'il donne à la « licence » qu'il a prise — « j'ai remarqué parmi nos anciens maîtres qu'ils se sont fort peu mis en peine de donner à leurs poèmes le nom des héros qu'ils y faisaient paraître » — lui apporte même une caution théorique qui lui assure tout dédouanement nécessaire. Pour autant, l'effet créé par cette distorsion surprenante n'en reste pas moins fort pour le spectateur : Corneille lui évite la méprise potentielle qu'aurait pu entraîner le titre de Cléopâtre, mais *c'est pour lui proposer à la place la surprise de découvrir, sous l'enveloppe, un contenu différent.*

Il y a bien là une technique de leurre, qui apparaît d'autant plus sensible que l'*Avertissement* lie la question de la licence prise avec le titre à celle d'une autre licence, celle prise avec l'Histoire. À partir de faits avérés et de « noms véritables », *Rodogune* est un sujet feint. Et, loin de chercher à masquer cette feinte, le dramaturge la revendique comme un droit, et ajoute même qu'il l'a poussée plus loin encore avec sa nouvelle tragédie, *Héraclius*. Du coup, il y a lieu de s'interroger sur cette propension de l'auteur de L'Illusion comique *et du* Menteur *à jouer, et pas seulement dans ses comédies, avec la réalité, à donner pour vrai ce qui ne l'est pas, et à créer des effets d'illusion qui transforment les faits de l'Histoire en fiction de théâtre et qui font prendre une* Cléopâtre *pour une* Rodogune.

Car, s'il a remplacé dans son titre une protagoniste par une autre, Corneille n'a pas pour autant choisi d'intituler sa pièce, par exemple, Antiochus, *du nom du personnage auquel on reconnaît traditionnellement les vertus les plus positives, celles justement qu'on attendrait d'un héros « cornélien ». La présence constante du prince appelé à devenir roi — il est là dans tous les actes, alors que Rodogune est absente de l'acte II et Cléopâtre de l'acte III —, le nombre élevé de scènes — douze — où il intervient, égal à celui où Cléopâtre est présente et beaucoup plus important que les six apparitions de Rodogune, le fait même qu'il ait droit à deux monologues, quand Cléopâtre en a quatre et Rodogune un seul : tout cela aurait pu, à défaut de Cléopâtre, techniquement désigner* Antiochus *comme héros éponyme. Or Corneille a choisi* Rodogune. *C'est donc que sa logique est autre.*

Certains ont pu y voir, d'abord, cette indication que,

dans le théâtre cornélien, l'inversion des sexes est en train
de s'accomplir. Ce sont les femmes, maintenant, qui sont
fortes et, inversement, les hommes qui se fragilisent. Ce qui,
en termes politiques, dans une monarchie régie par la loi
salique, pose la question du pouvoir, si actuelle et perti-
nente à un moment où le sort de l'État se retrouve précisément entre les mains d'une régente. Ce qui a pu, ainsi,
pousser certains exégètes à se dire que ces femmes devenues
fortes ne sont que l'allégorisation, et la médiatisation, d'un
masculin seul autorisé à détenir le pouvoir : sous Cléopâtre, il y aurait Richelieu... Telle mise en scène récente,
qui donnait à voir une reine de Syrie toute de pourpre cardinalice vêtue, en offrait de façon éclatante l'interprétation
scénique. Or, si tel est le cas, s'il faut à toute force voir dans
la tragédie une symbolique politique liée à son temps précis,
on pourrait suggérer aux futurs metteurs en scène et costu-
miers de théâtre de ne pas réserver à la seule Cléopâtre la
rutilante couleur. Un peu plus pâle, sans doute — elle
n'est qu'une reine en devenir —, mais tout aussi justifiée,
la pourpre siérait aussi fort bien à celle qui n'est encore que
la Princesse des Parthes (c'est le sous-titre de la pièce), mais
qui va maintenant exercer le pouvoir en Syrie : après Cléopâtre, Rodogune. Après l'original, la copie. Ou, si l'on veut,
après Richelieu, Mazarin...

   Car, politique ou non, ce qui apparaît bien comme l'axe
dramatiquement porteur de la tragédie, celui-là même qui
autorise le trompe-l'œil du titre et la feinte du sujet, c'est
ce jeu sur le double qui structure si fortement la pièce. Et
qu'illustre d'abord ce duo que constituent Cléopâtre et Rodogune. L'une ne va pas sans l'autre, dans une pièce où tout
ce qui les concerne se trouve régi par des effets de dédoublement, de parallèle, de symétrie. Dans leur situation politique, d'abord : toutes deux femmes de sang royal, sœurs de

*monarque — Cléopâtre de Ptolémée VII, le roi d'Égypte
(présenté comme son frère par Corneille, alors que, en réalité, il était son oncle : léger coup de pouce donné à l'Histoire,
mais ô combien utile pour parfaire la symétrie), Rodogune
de Phraates, le roi des Parthes —; toutes deux appelées au
trône de Syrie, Cléopâtre d'abord, Rodogune qui lui succédera ; toutes deux — et le politique rejoint ici la dimension
privée — liées au même Démétrius Nicanor, Cléopâtre
comme son épouse première, Rodogune comme sa fiancée (là
aussi présentée comme telle par Corneille, alors qu'elle était
en réalité sa seconde épouse : autre coup de pouce, mais
bien utile encore, vu les sentiments suscités par la princesse
auprès des deux princes, pour éviter tout relent de passion
incestueuse apte, comme il le dit, à « choquer les spectateurs,
qui eussent trouvé étrange cette passion pour la veuve de
leur père, si j'eusse suivi l'Histoire » (p. 43). Ainsi rappro-
chées par leur commune situation dynastique et personnelle, les deux femmes le sont aussi dramatiquement par la
façon dont Corneille les porte à la scène : la première apparition de Rodogune, à la fin de l'acte I, la fait se confier à
Laonice, confidente certes, mais de Cléopâtre. Après quoi,
chacune a son acte, où l'autre n'apparaît pas : Cléopâtre
mène le jeu à l'acte II : après s'être confiée de façon symétrique à la même Laonice, elle propose à Antiochus et à
Séleucus, pour devenir roi, qu'ils la vengent en éliminant
Rodogune. Celle-ci, par un dédoublement systématique, fait
la même chose à l'acte III, dont est maintenant absente
Cléopâtre, et propose le même choix aux deux princes : elle
sera à celui qui la vengera en éliminant Cléopâtre. Ainsi
égales dans la pression qu'elles exercent sur les princes, elles
se partagent également le quatrième acte : Rodogune pour
avouer d'abord à Antiochus qu'elle l'aime et pour renoncer
à sa vengeance en se pliant à la décision de Cléopâtre qui*

désignera l'aîné des jumeaux appelé à régner et à l'épouser;
Cléopâtre ensuite pour désigner Antiochus d'abord, Séleucus ensuite comme l'aîné, et se résoudre enfin, devant leurs
réactions, à se débarrasser des deux, et de Rodogune en
même temps. Cette symétrie trouve son point d'orgue dans
la grande scène finale où la mort de Séleucus laisse, par
l'ambiguïté des dernières paroles que celui-ci a prononcées
quant à l'identité de son assassin, la possibilité de deux
coupables possibles : Cléopâtre et Rodogune. Antiochus a
de bonnes raisons d'hésiter. Si son amour devrait le faire
pencher pour l'innocence de Rodogune, les propositions de
meurtre qu'elle a faites et la soif de vengeance qu'il lui a vu
afficher tiennent la balance égale dans son jugement avec
tout ce qu'il a pu constater de la volonté rageuse et meurtrière de sa mère. Fils de l'une et amant de l'autre, partagé
entre son amour filial et sa passion de cœur, il en vient
ainsi, au moment suprême, à ne plus vraiment pouvoir
distinguer entre l'une et l'autre dans la perpétration du
crime : c'est dire si, aux yeux mêmes de celui qui en est le
plus proche, elles se ressemblent. Et si c'est Cléopâtre qui a
empoisonné la coupe, c'est Rodogune qui l'en soupçonne et
qui demande que le breuvage soit d'abord bu par un domestique, pour en éprouver l'innocuité. Rodogune perce Cléopâtre à jour, parce qu'elle est capable de raisonner et d'agir
comme elle, là où Antiochus, incapable de soupçonner telle
ruse assassine, s'apprête à boire la coupe que sa mère lui
tend. Et c'est Rodogune encore qui, observant les effets du
poison, arrête Antiochus au moment où il va porter la
coupe à ses lèvres et empêche ainsi l'irrémédiable, volant
in fine à Cléopâtre cet Antiochus qui va lui permettre de
devenir reine de Syrie, c'est-à-dire de la remplacer sur le
trône, poussant ainsi jusqu'à son terme une ressemblance
qui se résout en identification.

Rodogune, ombre portée de Cléopâtre, et comme son double en devenir : qu'en est-il alors de la vision tendre de la faible victime qu'une certaine tradition scénique a voulu construire, ou de l'agent de la Providence qu'on a pu voir en elle, rétablissant l'ordre du Bien et restaurant la loi divine face à la figure satanique et antithétique de l'autre femme ? Les explications psychologiques diverses qu'on a données pour tenter d'y voir clair dans un personnage qui inspirait à Émile Faguet ce jugement peu flatteur : « le défaut de Rodogune, *c'est* Rodogune », *tout comme les raisons diplomatiques ou juridiques qui permettraient de justifier sa conduite, voire encore les lois d'un code chevaleresque et romanesque qui feraient d'elle la « dame » imposant une quête à des chevaliers servants, et jusqu'à la vertu dont Corneille à deux reprises, dans l'Examen et dans* Le Discours de la tragédie, *la crédite : autant de clefs qui ouvrent sans doute des tiroirs importants, mais qui laissent fermé celui qui les englobe tous. Rodogune, qui est, aux yeux de Cléopâtre, la seule rivale — celle-ci le dit en mourant, trouvant dans cette mort qui lui ferme les yeux cette douceur « de ne voir point régner [s]a rivale en [s]a place » (V, 4, v. 1816) —, se découvre aussi, aux yeux des deux frères, comme le double de leur mère, dans une filiation fantasmatique que Séleucus exprime clairement lorsqu'il dit d'elle, après la proposition qu'elle vient de leur faire, à lui et à son frère, de se donner à celui des deux qui la vengera en éliminant Cléopâtre : « Une âme si cruelle / Méritait notre mère, et devait naître d'elle » (III, 5, v. 1051-1052). Et Antiochus qui hésite sur l'identité de la coupable — « Je ne veux point juger entre vous, et ma mère » (V, 4, v. 1768) — dit aussi que, pour lui, l'une et l'autre ne font qu'une.*

Rodogune, quels que soient ses motivations et son caractère — et on peut la voir plus ou moins faible, plus ou

*moins douce, ou au contraire plus ou moins forte, voire
plus ou moins cruelle —, se trouve prise, par le processus
tragique où l'inscrit la structure en écho de la pièce, dans
un rôle qui en fait le pendant nécessaire de Cléopâtre.
L'une ne saurait exister sans l'autre : ennemies publiques
et ennemies intimes, elles sont portées par le même désir de
vengeance, même si celui-ci ne découle pas forcément de la
même passion : volonté monomaniaque d'exercer le pouvoir
chez la reine, désir implacable de faire justice chez la princesse. Elles se ressemblent, pour reprendre le mot de Séleucus, comme une mère et une fille rivales ou, pour offrir un
parfait contrepoint à l'autre duo qui va être leur victime
— celui des deux frères amis — comme des sœurs ennemies.
La plus âgée meurt, qui a tué Séleucus ; la plus jeune survit, qui va épouser Antiochus. Il n'est pas dit que, des deux
jumeaux, le sort du second, pour lequel la présence de Rodogune rappellera toujours en ombre portée celle de Cléopâtre,
soit forcément plus enviable que celui du premier.*

*Car, dans une tragédie où tout est dédoublé, la forme la
plus pure de la dualité est représentée par la gémellité. Une
gémellité que l'enjeu dynastique de la pièce consiste précisément à disjoindre, en désignant entre les deux frères lequel
est l'aîné, avec, en corollaire quasi obligatoire, la rivalité
qui, ainsi établie, viendrait disloquer l'autre composante qui
les unit aussi fortement que la naissance : leur amour fraternel. Sur ce plan, si c'est Cléopâtre qui possède le pouvoir
de dire qui est l'aîné, c'est Rodogune qui possède le pouvoir parallèle de dire qui est l'aimé. L'une et l'autre femmes
détiennent les armes de la différence et même, on le voit bien
lorsque la mère essaie de dresser un frère contre l'autre et
que l'amante promet de se donner à celui des deux qui
la vengera, de la discorde. Or, héritiers des grands mythes
antiques de la gémellité, Séleucus et Antiochus appartien-*

nent au clan des jumeaux amis — celui de Castor et Pollux —, et ils ne cèdent pas à la tentation qui leur est
constamment offerte de rejoindre l'autre camp, celui des frères
ennemis, Étéocle et Polynice, que Séleucus ressent bien dès
l'abord comme un modèle dangereux qui s'ouvre à eux, en
évoquant à la fois la lutte fraternelle et les risques de
l'amour :

Ces deux sièges fameux de Thèbes, et de Troie,
Qui mirent l'une en sang, l'autre aux flammes en
                                              [proie,
N'eurent pour fondements à leurs maux infinis
Que ceux que contre nous le Sort a réunis.
                              (I, 3, v. 171-174).

*Dans cette tragédie de la monstruosité dénaturée, un sen-
timent surnage, qui ne défaille pas : l'amitié indissoluble
entre les deux jumeaux. Au couple des deux femmes, porté
par la haine, s'oppose le couple des deux hommes, uni par
l'amour. Si on la rapporte au sexe, on peut voir, dans cette
opposition entre des femmes Gorgones et des hommes qui en
subissent toutes les violences, une figuration de la décou-
verte par ces deux quasi adolescents que sont encore Séleucus et Antiochus des menaces de la féminité, et de la peur
qu'ils en ressentent. Retour d'Égypte où, pour les protéger,
on les a envoyés passer leur enfance, ils gardent en eux le
souvenir de ce paradis perdu auquel s'oppose, avec la barbarie orientale de ses mœurs politiques, la réalité de ce
royaume de Syrie sur lequel ils sont appelés à régner. L'union
qui les lie, image idéale de la fusion innocente, ne peut que
se heurter aux lois d'une réalité tant dynastique — l'un des
deux seul sera roi — que biologique — l'un des deux seul
est l'aîné — et sentimentale — l'un des deux seul est aimé.*

*Or, de ces trois niveaux, politique, naturel, affectif, un
seul est préservé jusqu'au bout dans la tragédie : si c'est
Antiochus qui sera effectivement roi de Syrie et si c'est lui
qu'effectivement le cœur de Rodogune a choisi, cette double
prééminence que lui assure le drame ne parvient pas à briser l'autre lien, plus fondamental, qui est celui de la gémellité. Outre le fait que la notion d'aînesse est elle-même
ambiguë — l'aîné n'est pas le même selon la loi médicale,
qui y voit le dernier-né, parce que le premier conçu, et la loi
juridique, qui y voit le premier-né, parce que le premier
venu au monde —, le jeu trouble de Cléopâtre, qui laisse
Séleucus sceptique sur «un droit d'aînesse obscur, sur la foi
d'une mère» (I, 3, v. 183) et qui affirme successivement à
l'un et à l'autre qu'il est cet aîné dont elle seule connaît
le secret, laisse finalement la question non résolue. Séleucus mort et Antiochus vivant restent à jamais jumeaux
identiques, non départagés biologiquement et non séparés
affectivement*

*Pour autant, ne faisant qu'un, ils n'en sont pas moins
dissociables. Le déroulement dramatique de la pièce et leurs
réactions différentes aux dangers qui les harcèlent tra-
cent d'eux deux portraits à la fois subtilement similaires et
contrastés. S'ils ont tous deux, dès leur première apparition,
le même désir d'abandonner le pouvoir à l'autre en échange
du cœur de Rodogune, l'accélération des événements, les
propositions de Cléopâtre d'abord, de Rodogune ensuite, les
amènent à adopter des attitudes différentes. Le retrait de
Séleucus, mais aussi sa lucidité sceptique, ont pu apparaître
à certains comme les signes d'une faiblesse un peu mièvre,
celle d'un adolescent incapable d'affronter la réalité et inapte
finalement à être le monarque et l'époux qu'il était destiné
à être; pour d'autres, au contraire, son refus de toute compromission, son désir de préserver contre tout l'amitié fra-*

ternelle dans une passivité stoïque qui renverrait au doux
royaume d'enfance, à cette Égypte du paradis perdu, en font
le personnage le plus pur et le plus intrinsèquement fort. À
l'inverse, la volonté d'Antiochus de croire malgré tout en sa
mère, son désir d'arranger les choses et de trouver des solu-
tions, sa tentative de ne pas sacrifier l'amour aux sentiments filiaux ni ceux-ci à celui-là, sa façon enfin d'assumer
la royauté dans les conditions terribles où elle lui échoit, en
font pour certains le personnage le plus faible, parce qu'il
compose, pour d'autres le vrai héros, parce qu'il se déter-
mine au nom d'un intérêt supérieur qui le rend digne d'être
roi.

Ces différences d'interprétation, qui apparaissent tout
autant à la scène que dans les exégèses critiques, ne peuvent toutefois masquer l'essentiel : l'indissolubilité du lien
entre les deux frères. Leur gémellité reste, dans une pièce
entièrement noire, comme la seule lumière : « Ô frère plus
aimé que la clarté du jour » (V, 4, v. 1653), dit Antiochus
de Séleucus, en guise d'oraison funèbre. Mais ce jour s'est
définitivement assombri : Séleucus est mort, et Cléopâtre va
le rejoindre. D'une certaine manière, les deux personnages les
plus purs, dans les deux postulations extrêmes — l'amour
d'un côté, la haine de l'autre —, disparaissent ; survit le
couple qui réunit leurs deux ombres, la princesse rivale de
la reine, le roi forcé à régner. Tout ce qui faisait la force
héroïque de l'absolu, dans la soif de pureté de Séleucus
refusant toute compromission comme dans la libido domi-
nandi de Cléopâtre soumettant tout à sa passion dévasta-
trice, a disparu : le jour de gloire est devenu jour de deuil,
la pompe nuptiale y revêt des allures de pompes funèbres.

Rodogune est une pièce non seulement obscure mais
sombre. Le jour qu'annonce le premier vers, au lieu de dis-

siper la longue nuit qui l'a précédé, l'épaissit de façon
radical. Le noir domine : celui de la passion du pouvoir,
poussé jusqu'à la monomanie meurtrière ; celui de la vengeance, à quoi l'on sacrifie tout ; celui des intrigues politico-
dynastiques ; celui de la dénaturation des sentiments les
plus fondamentaux ; celui de la rivalité et de la jalousie ;
celui de la haine inextinguible ; celui des affaires de famille
maudite ; celui de l'impossible choix ; celui de la mort qui
rôde, et qui frappe. Dans une tragédie mettant ainsi le
crime en scène, il n'est sans doute pas indifférent de relever
la façon dont cette mort est donnée. Elle intervient trois fois,
de la main même de Cléopâtre. Les deux premières fois, la
reine utilise l'arme blanche, épée ou poignard : Démétrius
Nicanor, son mari, meurt de sa main, « tout percé de
coups » (III, 3, v. 861), et elle exécute Séleucus par « le fer »
(V, 1, v. 1508), qu'elle lui plonge dans la poitrine. Il s'agit
là d'armes nobles, liées au combat, à connotation mascu-
line, comme on le voit bien lorsque Antiochus à son tour
tire son épée et veut se tuer. Ces deux meurtres, pour barbares qu'ils soient, gardent quelque chose qui les relie à
l'exercice du pouvoir. Lorsqu'elle veut ensuite se débarrasser d'Antiochus et de Rodogune, Cléopâtre fait appel au
poison : arme sournoise, associée tout à la fois aux ruses
féminines et à la perfidie orientale, elle agit dans le secret,
comme un leurre. Elle est l'instrument du Mal qui se donne
pour le Bien, d'une mort qui se donne sous le couvert de la
réconciliation. Que Cléopâtre elle-même, poussant ce côté
perfide jusqu'au bout, boive sa propre mort pour inciter les
autres à faire comme elle, ajoute la ruse à la ruse, et couronne la tragédie d'un machiavélisme non plus seulement
politique mais quasi ontologique. Cléopâtre meurt du poison qu'elle a elle-même versé, et qui, dans son côté secret
comme dans sa puissance de mort, représente l'essence de

son être. Et qui correspond bien aussi à la nature même d'une pièce qui joue de jeux dramatiques complexes pour figurer les troubles replis de l'être humain. Du royaume de cette nuit, Cléopâtre est la reine, revers noir d'un héros cornélien dont d'autres pièces donnent l'avers flamboyant. Ce qui, à s'en tenir au côté spectaculaire et dilaté de cette sombre histoire, justifie sans doute qu'on puisse la situer quelque part entre le drame élisabéthain et le drame romantique, entre Macbeth *et* Lucrèce Borgia. *Mais qui, à y regarder de plus près, offre à coup sûr la vision la plus radicale de ce qui fait la grandeur terrible de la tragédie cornélienne.*

JEAN SERROY

Rodogune

Princesse des Parthes

TRAGÉDIE

Monseigneur,

Rodogune se présente à Votre Altesse avec quelque
sorte de confiance, et ne peut croire qu'après avoir
fait sa bonne fortune, vous dédaigniez de la prendre
en votre protection. Elle a trop de connaissance de
votre bonté pour craindre que vous veuilliez laisser
votre ouvrage imparfait, et lui dénier la continua-
tion des grâces dont vous lui avez été si prodigue.
C'est à votre illustre suffrage qu'elle est obligée de
tout ce qu'elle a reçu d'applaudissement, et les favorables regards dont il vous plut fortifier la faiblesse
de sa naissance lui donnèrent tant d'éclat et de
vigueur, qu'il semblait que vous eussiez pris plaisir à
répandre sur elle un rayon de cette gloire qui vous
environne, et à lui faire part de cette facilité de
vaincre qui vous suit partout. Après cela, Monseigneur, quels hommages peut-elle rendre à Votre
Altesse qui ne soient au-dessous de ce qu'elle lui
doit ? Si elle tâche à lui témoigner quelque reconnaissance par l'admiration de ses vertus, où trou-
vera-t-elle des éloges dignes de cette main qui fait
trembler tous nos ennemis, et dont les coups d'essai

furent signalés par la défaite des premiers capitaines
de l'Europe ? Votre Altesse sut vaincre avant qu'ils se
pussent imaginer qu'elle sût combattre, et ce grand
courage, qui n'avait encore vu la guerre que dans les
livres, effaça tout ce qu'il y avait lu des Alexandres et
des Césars, sitôt qu'il parut à la tête d'une armée. La
générale consternation où la perte de notre grand
monarque nous avait plongés enflait l'orgueil de nos
adversaires en un tel point, qu'ils osaient se persuader que du siège de Rocroi dépendait la prise de
Paris ; et l'avidité de leur ambition dévorait déjà le
cœur d'un royaume dont ils pensaient avoir surpris
les frontières. Cependant les premiers miracles de
votre valeur renversèrent si pleinement toutes leurs
espérances, que ceux-là mêmes qui s'étaient promis
tant de conquêtes sur nous, virent terminer la cam-
pagne de cette même année par celle que vous fîtes
sur eux. Ce fut par là, Monseigneur, que vous com-
mençâtes ces grandes victoires que vous avez toujours si bien choisies, qu'elles ont honoré deux règnes
tout à la fois, comme si c'eût été trop peu pour Votre
Altesse d'étendre les bornes de l'État sous celui-ci, si
elle n'eût en même temps effacé quelques-uns des
malheurs qui étaient mêlés aux longues prospérités
de l'autre[1]. Thionville, Philisbourg et Norlinghen
étaient des lieux funestes pour la France ; elle n'en
pouvait entendre les noms sans gémir ; elle ne pouvait y porter sa pensée sans soupirer ; et ces mêmes
lieux, dont le souvenir lui arrachait des soupirs et des
gémissements, sont devenus les éclatantes marques
de sa nouvelle félicité, les dignes occasions de ses feux
de joie, et les glorieux sujets des actions de grâces
qu'elle a rendues au Ciel pour les triomphes que

votre courage invincible en a obtenus. Dispensez-moi, Monseigneur, de vous parler de Dunkerque : j'épuise toutes les forces de mon imagination, et je ne conçois rien qui réponde à la dignité de ce grand ouvrage, qui nous vient d'assurer l'Océan par la prise de cette fameuse retraite de corsaires. Tous nos havres en étaient comme assiégés, il n'en pouvait échapper un vaisseau qu'à la merci de leurs brigandages, et nous en avons vu souvent de pillés à la vue des mêmes ports dont ils venaient de faire voile : et maintenant par la conquête d'une seule ville, je vois d'un côté nos mers libres, nos côtes affranchies, notre commerce rétabli, la racine de nos maux publics coupée ; d'autre côté la Flandre ouverte, l'embouchure de ses rivières captives, la porte de son secours fermée, la source de son abondance en notre pouvoir, et ce que je vois n'est rien encore au prix de ce que je prévois, sitôt que Votre Altesse y reportera la terreur de ses armes. Dispensez-moi donc, Monseigneur, de profaner des effets si merveilleux, et des attentes si hautes, par la bassesse de mes idées, et par l'impuissance de mes expressions, et trouvez bon que demeurant dans un respectueux silence, je n'ajoute rien ici qu'une protestation[1] très inviolable d'être toute ma vie,

Monseigneur,

de Votre Altesse,

le très humble, très obéissant et très passionné serviteur,

CORNEILLE

APPIAN ALEXANDRIN

« Démétrius surnommé Nicanor, roi de Syrie, entreprit la guerre contre les Parthes, et étant devenu leur prisonnier vécut dans la cour de leur roi Phraates, dont il épousa la sœur nommée Rodogune. Cependant Diodotus, domestique[2] des rois précédents, s'empara du trône de Syrie, et y fit asseoir un Alexandre encore enfant, fils d'Alexandre le Bâtard, et d'une fille de Ptolomée. Ayant gouverné quelque temps comme son tuteur, il se défit de ce malheureux pupille, et eut l'insolence de prendre lui-même la couronne, sous un nouveau nom de Tryphon qu'il se donna. Mais Antiochus, frère du roi prisonnier, ayant appris à Rhodes sa captivité et les troubles qui l'avaient suivie, revint dans le pays, où, ayant défait Tryphon avec beaucoup de peine, il le fit mourir : de là il porta ses armes contre Phraates, lui redemandant son frère, et vaincu dans une bataille il se tua lui-même. Démétrius retourné en son royaume fut tué par sa femme Cléopâtre, qui lui dressa des embûches en haine de cette seconde femme Rodogune qu'il avait épousée, dont elle avait conçu une telle indignation, que pour s'en venger elle avait épousé ce même Antiochus frère de son mari. Elle avait deux fils de Démétrius, l'un nommé Séleucus, et l'autre Antiochus, dont elle tua le premier d'un coup de flèche sitôt qu'il eut pris le diadème après la mort de son père, soit qu'elle craignît qu'il ne la voulût venger, soit que l'impétuosité de la même fureur la portât à ce nouveau parricide. Antiochus lui succéda, qui contraignit cette mauvaise mère de boire le poison qu'elle lui avait préparé. C'est ainsi qu'elle fut enfin punie[1]. »

Voilà ce que m'a prêté l'Histoire, où j'ai changé les circonstances[2] de quelques incidents, pour leur donner plus de bienséance. Je me suis servi du nom de Nicanor plutôt que de celui de Démétrius, à cause que le vers souffrait plus aisément l'un que l'autre. J'ai supposé qu'il n'avait pas encore épousé Rodogune, afin que ses deux fils pussent avoir de l'amour pour elle, sans choquer les spectateurs, qui eussent trouvé étrange[3] cette passion pour la veuve de leur père, si j'eusse suivi l'Histoire. L'ordre de leur naissance incertain, Rodogune prisonnière quoiqu'elle ne vint[4] jamais en Syrie, la haine de Cléopâtre pour elle, la proposition sanglante qu'elle fait à ses fils, celle que cette princesse est obligée de leur faire pour se garantir, l'inclination qu'elle a pour Antiochus, et la jalouse fureur de cette mère qui se résout plutôt à perdre ses fils qu'à se voir sujette de sa rivale, ne sont que des embellissements de l'invention, et des acheminements vraisemblables à l'effet dénaturé que me présentait l'Histoire, et que les lois du poème ne me permettaient pas de changer. Je l'ai même adouci tant que j'ai pu en Antiochus, que j'avais fait trop honnête homme dans le reste de l'ouvrage, pour forcer à la fin sa mère à s'empoisonner soi-même[1].

On s'étonnera peut-être de ce que j'ai donné à cette tragédie le nom de *Rodogune*, plutôt que celui de *Cléopâtre* sur qui tombe toute l'action tragique ; et même on pourra douter si la liberté de la poésie peut s'étendre jusqu'à feindre[2] un sujet entier sous des noms véritables, comme j'ai fait ici, où depuis la narration du premier acte qui sert de fondement au reste, jusques aux effets qui paraissent dans le cinquième, il n'y a rien que l'Histoire avoue[3].

Pour le premier, je confesse ingénument que ce poème devait plutôt porter le nom de *Cléopâtre*, que de *Rodogune* ; mais ce qui m'a fait en user ainsi a été la peur que j'ai eue qu'à ce nom le peuple ne se laissât préoccuper[4] des idées[5] de cette fameuse et dernière reine d'Égypte[6], et ne confondît cette reine de Syrie avec elle, s'il l'entendait prononcer. C'est pour cette même raison que j'ai évité de le mêler dans mes vers, n'ayant jamais fait parler de cette seconde Médée[7] que sous celui de la reine ; et je me suis enhardi à cette licence d'autant plus librement que j'ai remarqué parmi nos anciens maîtres qu'ils se sont fort peu mis en peine de donner à leurs poèmes le nom des héros qu'ils y faisaient paraître, et leur ont souvent fait porter celui des chœurs, qui ont encore bien moins de part dans l'action que les personnages épisodiques comme Rodogune, témoin *Les Trachiniennes*[8] de Sophocle, que nous n'aurions jamais voulu nommer autrement que *La Mort d'Hercule*.

Pour le second point, je le tiens un peu plus difficile à résoudre, et n'en voudrais pas donner mon opinion pour bonne ; j'ai cru que, pourvu que nous

conservassions les effets de l'Histoire, toutes les circonstances, ou comme je viens de les nommer, les
acheminements, étaient en notre pouvoir ; au moins
je ne pense point avoir vu de règle qui restreigne
cette liberté que j'ai prise. Je m'en suis assez bien
trouvé en cette tragédie, mais comme je l'ai poussée encore plus loin dans *Héraclius* que je viens de
mettre sur le théâtre[1], ce sera en le donnant au
public que je tâcherai de la justifier si je vois que les
savants s'en offensent, ou que le peuple en mur-
mure. Cependant ceux qui en auront quelque scrupule m'obligeront de considérer les deux *Électre* de
Sophocle et d'Euripide, qui conservant le même effet,
y parviennent par des voies si différentes, qu'il faut
nécessairement conclure que l'une des deux est
tout à fait de l'invention de son auteur. Ils pourront
encore jeter l'œil sur l'*Iphigénie in Tauris*[2], que notre
Aristote nous donne pour exemple d'une parfaite
tragédie, et qui a bien la mine d'être toute de même
nature, vu qu'elle n'est fondée que sur cette feinte
que Diane enleva Iphigénie du sacrifice dans une
nuée, et supposa[3] une biche en sa place. Enfin ils
pourront prendre garde à l'*Hélène* d'Euripide, où
la principale action et les épisodes, le nœud et le
dénouement sont entièrement inventés sous des
noms véritables.

Au reste, si quelqu'un a la curiosité de voir cette
histoire plus au long, qu'il prenne la peine de lire
Justin[4] qui la commence au trente-sixième livre, et
l'ayant quittée la reprend sur la fin du trente et hui-
tième, et l'achève au trente-neuvième. Il la rapporte
un peu autrement, et ne dit pas que Cléopâtre tua
son mari, mais qu'elle l'abandonna, et qu'il fut tué

par le commandement d'un des capitaines d'un
Alexandre qu'il lui oppose. Il varie aussi beaucoup
sur ce qui regarde Tryphon et son pupille, qu'il
nomme Antiochus, et ne s'accorde avec Appian que
sur ce qui se passa entre la mère et les deux fils.

Le premier livre des Maccabées[1], aux chapitres XI,
XIII, XIV et XV, parle de ces guerres de Tryphon et
de la prison de Démétrius chez les Parthes, mais il
nomme ce pupille Antiochus ainsi que Justin, et attribue la défaite de Tryphon à Antiochus fils de Démétrius, et non pas à son frère comme fait Appian que
j'ai suivi, et ne dit rien du reste.

Josèphe[2], au XIIIe livre des *Antiquités judaïques*,
nomme encore ce pupille de Tryphon Antiochus,
fait marier Cléopâtre à Antiochus frère de Démétrius durant la captivité de ce premier mari chez les
Parthes, lui attribue la défaite et la mort de Tryphon,
s'accorde avec Justin touchant la mort de Démétrius
abandonné et non pas tué par sa femme, et ne parle
point de ce qu'Appian et lui rapportent d'elle et de
ses deux fils, dont j'ai fait cette tragédie.

Le sujet de cette tragédie est tiré d'Appian Alexandrin, dont voici les paroles sur la fin du livre qu'il a fait des *Guerres de Syrie* : «Démétrius, surnommé Nicanor, entreprit la guerre contre les Parthes, et vécut quelque temps prisonnier dans la cour de leur roi Phraates, dont il épousa la sœur, nommée Rodogune. Cependant Diodotus, domestique des rois précédents, s'empara du trône de Syrie, et y fit asseoir un Alexandre encore enfant, fils d'Alexandre le Bâtard, et d'une fille de Ptolomée. Ayant gouverné quelque temps comme tuteur sous le nom de ce pupille, il s'en défit, et prit lui-même la couronne, sous un nouveau nom de Tryphon, qu'il se donna. Antiochus frère du roi prisonnier ayant appris sa captivité à Rhodes, et les troubles qui l'avaient suivie, revint dans la Syrie, où ayant défait Tryphon, il le fit mourir. De là il porta ses armes contre Phraates, et vaincu dans une bataille, il se tua lui-même. Démétrius retournant en son royaume fut tué par sa femme Cléopâtre, qui lui dressa des embûches sur le chemin, en haine de cette Rodogune qu'il avait épousée, dont elle avait conçu une telle indignation, qu'elle

avait épousé ce même Antiochus frère de son mari.
Elle avait deux fils de Démétrius, dont elle tua Séleucus l'aîné, d'un coup de flèche, sitôt qu'il eut pris le
diadème après la mort de son père, soit qu'elle craignît qu'il ne la voulût venger sur elle, soit que la
même fureur l'emportât à ce nouveau parricide.
Antiochus son frère lui succéda, et contraignit cette
mère dénaturée de prendre le poison qu'elle lui
avait préparé. »

Justin en son XXXVIe, XXXVIIIe et XXXIXe livre,
raconte cette histoire plus au long avec quelques
autres circonstances. Le premier des Maccabées et
Josèphe au XIIIe des *Antiquités judaïques* en disent
aussi quelque chose qui ne s'accorde pas tout à fait
avec Appian. C'est à lui que je me suis attaché pour
la narration que j'ai mise au premier acte, et pour
l'effet[1] du cinquième, que j'ai adouci du côté d'Antiochus. J'en ai dit la raison ailleurs[2]. Le reste sont
des épisodes d'invention, qui ne sont pas incompa-
tibles avec l'histoire, puisqu'elle ne dit point ce que
devint Rodogune après la mort de Démétrius, qui
vraisemblablement l'amenait en Syrie prendre possession de sa couronne. J'ai fait porter à la pièce le
nom de cette princesse, plutôt que celui de Cléopâtre, que je n'ai même osé nommer dans mes vers,
de peur qu'on ne confondît cette reine de Syrie avec
cette fameuse princesse d'Égypte qui portait même
nom, et que l'idée de celle-ci, beaucoup plus connue
que l'autre, ne semât une dangereuse préoccupation
parmi les auditeurs.

On m'a souvent fait une question à la cour : quel
était celui de mes poèmes[3] que j'estimais le plus ; et
j'ai trouvé tous ceux qui me l'ont faite si prévenus en

faveur de *Cinna*, ou du *Cid*, que je n'ai jamais osé
déclarer toute la tendresse que j'ai toujours eue
pour celui-ci, à qui j'aurais volontiers donné mon
suffrage, si je n'avais craint de manquer en quelque
sorte au respect que je devais à ceux que je voyais
pencher d'un autre côté. Cette préférence est peut-
être en moi un effet de ces inclinations aveugles,
qu'ont beaucoup de pères pour quelques-uns de
leurs enfants, plus que pour les autres ; peut-être y
entre-t-il un peu d'amour-propre, en ce que cette
tragédie me semble être un peu plus à moi que
celles qui l'ont précédée, à cause des incidents surprenants qui sont purement de mon invention et
n'avaient jamais été vus au théâtre ; et peut-être
enfin y a-t-il un peu de vrai mérite, qui fait que cette
inclination n'est pas tout à fait injuste. Je veux bien
laisser chacun en liberté de ses sentiments, mais cer-
tainement on peut dire que mes autres pièces ont
peu d'avantages, qui ne se rencontrent en celle-ci.
Elle a tout ensemble la beauté du sujet, la nouveauté
des fictions, la force des vers, la facilité de l'expression, la solidité du raisonnement, la chaleur des passions, les tendresses de l'amour et de l'amitié, et
cet heureux assemblage est ménagé de sorte qu'elle
s'élève d'acte en acte. Le second passe[1] le premier,
le troisième est au-dessus du second, et le dernier
l'emporte sur tous les autres. L'action y est une,
grande, complète, sa dureté ne va point, ou fort peu,
au-delà de celle de la représentation, le jour en est le
plus illustre qu'on puisse imaginer, et l'unité de lieu
s'y rencontre en la manière que je l'explique dans le
troisième de ces discours[2], et avec l'indulgence que
j'ai demandée pour le théâtre.

Ce n'est pas que je me flatte assez pour présumer qu'elle soit sans taches. On a fait tant d'objections[1] contre la narration de Laonice au premier acte, qu'il est malaisé de ne donner pas les mains[2] à quelques-unes. Je ne la tiens pas toutefois si inutile qu'on l'a dit. Il est hors de doute que Cléopâtre dans le second ferait connaître beaucoup de choses par sa confidence avec cette Laonice, et par le récit qu'elle en fait à ses deux fils, pour leur remettre devant les yeux combien ils lui ont d'obligation ; mais ces deux scènes demeureraient assez obscures, si cette narration ne les avait précédées, et du moins les justes défiances de Rodogune à la fin du premier acte, et la peinture que Cléopâtre fait d'elle-même dans son monologue qui ouvre le second, n'auraient pu se faire entendre sans ce secours.

J'avoue qu'elle est sans artifice, et qu'on la fait de sang-froid à un personnage protatique[3], qui se pourrait toutefois justifier par les deux exemples de Térence que j'ai cités sur ce sujet au premier discours[4]. Timagène qui l'écoute n'est introduit que pour l'écouter, bien que je l'emploie au cinquième à faire celle de la mort de Séleucus, qui se pouvait faire par un autre. Il l'écoute sans y avoir aucun intérêt notable, et par simple curiosité d'apprendre ce qu'il pouvait avoir su déjà en la cour d'Égypte, où il était en assez bonne posture, étant gouverneur des neveux du roi, pour entendre des nouvelles assurées de tout ce qui se passait dans la Syrie qui en est voisine. D'ailleurs, ce qui ne peut recevoir d'excuse, c'est que comme il y avait déjà quelque temps qu'il était de retour avec les princes, il n'y a pas d'apparence qu'il ait attendu ce grand jour de cérémonie, pour s'informer de sa sœur comment se sont passés tous ces troubles, qu'il dit ne savoir que confusément. Pollux dans *Médée* n'est qu'un personnage protatique qui écoute sans intérêt comme lui, mais sa surprise de voir Jason à Corinthe où il vient d'arriver, et son séjour en Asie que la mer en[1] sépare, lui donnent juste sujet d'ignorer ce qu'il en apprend. La narration ne laisse pas[2] de demeurer froide comme celle-ci, parce qu'il ne s'est encore rien passé dans la pièce qui excite la curiosité de l'auditeur, ni qui lui puisse donner quelque émotion en l'écoutant ; mais si vous voulez réfléchir sur celle de Curiace dans l'*Horace*, vous trouverez qu'elle fait tout un autre effet. Camille qui l'écoute a intérêt comme lui à savoir comment s'est faite une paix dont dépend leur mariage, et l'auditeur, que Sabine et elle n'ont entretenu que de leurs malheurs, et des appréhensions d'une bataille qui se va donner entre deux partis, où elles voient leurs frères dans l'un et leur amour dans l'autre, n'a pas moins d'avidité qu'elle d'apprendre comment une paix si surprenante s'est pu conclure.

Ces défauts dans cette narration confirment ce que j'ai dit ailleurs[3], que lorsque la tragédie a son fondement sur des guerres entre deux États, ou sur d'autres affaires publiques, il est très malaisé d'introduire un acteur qui les ignore, et qui puisse recevoir le récit qui en doit instruire les spectateurs en parlant à lui.

J'ai déguisé quelque chose de la vérité historique en celui-ci : Cléopâtre n'épousa Antiochus qu'en haine de ce que son mari avait épousé Rodogune chez les Parthes, et je fais qu'elle ne l'épouse que par la nécessité de ses affaires, sur un faux bruit de

la mort de Démétrius, tant pour ne la faire pas
méchante sans nécessité comme Ménélas dans l'*Oreste*
d'Euripide, que pour avoir lieu de feindre que Démétrius n'avait pas encore épousé Rodogune, et venait
l'épouser dans son royaume pour la mieux établir
en la place de l'autre, par le consentement de ses
peuples, et assurer la couronne aux enfants qui naîtraient de ce mariage. Cette fiction m'était absolument nécessaire, afin qu'il fût tué avant que de l'avoir
épousée, et que l'amour que ses deux fils ont pour
elle ne fît point d'horreur aux spectateurs, qui n'auraient pas manqué d'en prendre une assez forte,
s'ils les eussent vus amoureux de la veuve de leur
père, tant cette affection incestueuse répugne à nos
mœurs.

Cléopâtre a lieu[1] d'attendre ce jour-là à[2] faire
confidence à Laonice de ses desseins et des véritables raisons de tout ce qu'elle a fait. Elle eût pu
trahir son secret aux princes, ou à Rodogune, si elle
l'eût su plus tôt, et cette ambitieuse mère ne lui en
fait part qu'au moment qu'elle veut bien qu'il éclate
par la cruelle proposition qu'elle va faire à ses fils.
On a trouvé celle que Rodogune leur fait à son tour
indigne d'une personne vertueuse, comme je la peins,
mais on n'a pas considéré qu'elle ne la fait pas,
comme Cléopâtre, avec espoir de la voir exécuter
par les princes, mais seulement pour s'exempter d'en
choisir aucun, et les attacher tous deux à sa protection, par une espérance égale. Elle était avertie par
Laonice de celle que la reine leur avait faite, et
devait prévoir que, si elle se fût déclarée pour Antiochus qu'elle aimait, son ennemie qui avait seule le
secret de leur naissance n'eût pas manqué de nom-

mer Séleucus pour aîné, afin de les commettre[1] l'un contre l'autre, et d'exciter une guerre civile qui eût pu causer sa perte. Ainsi elle devait s'exempter de choisir, pour les contenir tous deux dans l'égalité de prétention, et elle n'en avait point de meilleur moyen, que de rappeler le souvenir de ce qu'elle devait à la mémoire de leur père, qui avait perdu la vie pour elle, et leur faire cette proposition qu'elle savait bien qu'ils n'accepteraient pas. Si le traité de paix l'avait forcée à se départir de ce juste sentiment de reconnaissance[2], la liberté qu'ils lui rendaient la rejetait dans cette obligation. Il était de son devoir de venger cette mort, mais il était de celui des princes de ne se pas charger de cette vengeance. Elle avoue elle-même à Antiochus qu'elle les haïrait, s'ils lui avaient obéi, que comme elle a fait ce qu'elle a dû par cette demande, ils font ce qu'ils doivent par leur refus, qu'elle aime trop la vertu pour vouloir être le prix d'un crime, et que la justice qu'elle demande de la mort de leur père serait un parricide, si elle la recevait de leurs mains.

Je dirai plus. Quand cette proposition serait tout à fait condamnable en sa bouche, elle mériterait quelque grâce, et pour l'éclat que la nouveauté de l'invention a fait au théâtre, et pour l'embarras surprenant où elle jette les princes, et pour l'effet qu'elle produit dans le reste de la pièce qu'elle conduit à l'action historique. Elle est cause que Séleucus par dépit renonce au trône et à la possession de cette princesse, que la reine, le voulant animer contre son frère, n'en peut rien obtenir, et qu'enfin elle se résout par désespoir de les perdre tous deux, plutôt que de se voir sujette de son ennemie.

Elle commence par Séleucus, tant pour suivre
l'ordre de l'histoire, que parce que s'il fût demeuré
en vie après Antiochus et Rodogune, qu'elle voulait
empoisonner publiquement, il les aurait pu venger.
Elle ne craint pas la même chose d'Antiochus pour
son frère, d'autant qu'elle espère que le poison violent qu'elle lui a préparé fera un effet assez prompt
pour le faire mourir avant qu'il ait pu rien savoir
de cette autre mort, ou du moins avant qu'il l'en
puisse convaincre ; puisqu'elle a si bien pris son
temps pour l'assassiner, que ce parricide[1] n'a point
eu de témoins. J'ai parlé ailleurs[2] de l'adoucissement
que j'ai apporté, pour empêcher qu'Antiochus n'en
commît un en la forçant de prendre le poison qu'elle
lui présente, et du peu d'apparence qu'il y avait,
qu'un moment après qu'elle a expiré presque à sa
vue, il parlât d'amour et de mariage à Rodogune[3].
Dans l'état où ils rentrent derrière le théâtre, ils peuvent le résoudre, quand ils le jugeront à propos.
L'action est complète, puisqu'ils sont hors de péril,
et la mort de Séleucus m'a exempté de développer
le secret du droit d'aînesse entre les deux frères, qui
d'ailleurs n'eût jamais été croyable, ne pouvant être
éclairci que par une bouche en qui l'on n'a pas vu
assez de sincérité, pour prendre aucune assurance
sur son témoignage.

ACTEURS

CLÉOPÂTRE, reine de Syrie, veuve de Démétrius Nicanor.

SÉLEUCUS,
ANTIOCHUS, } fils de Démétrius et de Cléopâtre.

RODOGUNE, sœur de Phraates, roi des Parthes.

TIMAGÈNE, gouverneur des deux princes[1].

ORONTE, ambassadeur de Phraates.

LAONICE, sœur de Timagène, confidente de Cléopâtre.

La scène est à Séleucie[2], dans le palais royal.

Sur le Tigre

ACTE PREMIER

SCÈNE PREMIÈRE

LAONICE, TIMAGÈNE

LAONICE

Enfin ce jour pompeux[1], cet heureux jour nous luit[2],
Qui d'un trouble si long doit dissiper la nuit,
Ce grand jour, où l'hymen étouffant la vengeance
Entre le Parthe et nous remet l'intelligence[3],
5 Affranchit sa Princesse, et nous fait pour jamais
Du motif de la guerre un lien de la paix.
Ce grand jour est venu, mon frère, où notre Reine
Cessant de plus tenir la couronne incertaine
Doit rompre aux yeux de tous son silence obstiné,
10 De deux Princes gémeaux[4] nous déclarer l'aîné ;
Et l'avantage seul d'un moment de naissance,
Dont elle a jusqu'ici caché la connaissance,
Mettant au plus heureux le sceptre dans la main,
Va faire l'un sujet, et l'autre souverain.
15 Mais n'admirez-vous[5] point que cette même Reine
Le donne pour époux à l'objet de sa haine,

Et n'en doit faire un Roi, qu'afin de couronner
Celle que dans les fers elle aimait à gêner[1]?
Rodogune par elle en esclave traitée
20 Par elle se va voir sur le trône montée,
Puisque celui des deux qu'elle nommera Roi
Lui doit donner la main[2], et recevoir sa foi.

TIMAGÈNE

Pour le mieux admirer trouvez bon, je vous prie,
Que j'apprenne de vous les troubles de Syrie.
25 J'en ai vu les premiers, et me souviens encor
Des malheureux succès[3] du grand Roi Nicanor,
Quand des Parthes vaincus pressant l'adroite fuite
Il tomba dans leurs fers au bout de sa poursuite[4].
Je n'ai pas oublié que cet événement
30 Du perfide Tryphon fit le soulèvement.
Voyant le Roi captif, la Reine désolée[5],
Il crut pouvoir saisir la couronne ébranlée,
Et le Sort favorable à son lâche attentat
Mit d'abord sous ses lois la moitié de l'État.
35 La Reine, craignant tout de ces nouveaux orages,
En sut mettre à l'abri ses plus précieux gages,
Et pour n'exposer pas l'enfance de ses fils,
Me les fit chez son frère enlever à Memphis.
Là nous n'avons rien su[6] que de la Renommée,
40 Qui par un bruit confus diversement semée,
N'a porté jusqu'à nous ces grands renversements
Que sous l'obscurité de cent déguisements.

LAONICE

Sachez donc que Tryphon après quatre batailles
Ayant su nous réduire à ces seules murailles[7],
45 En forma tôt[8] le siège, et pour comble d'effroi,

Un faux bruit s'y coula, touchant la mort du Roi[1].
Le peuple épouvanté, qui déjà dans son âme
Ne suivait qu'à regret les ordres d'une femme,
Voulut forcer la Reine[2] à choisir un époux.
50 Que pouvait-elle faire, et seule, et contre tous ?
Croyant son mari mort, elle épousa son frère[3].
L'effet montra soudain ce conseil[4] salutaire ;
Le prince Antiochus devenu nouveau Roi
Sembla de tous côtés traîner l'heur[5] avec soi :
55 La victoire attachée au progrès de ses armes
Sur nos fiers ennemis rejeta nos alarmes[6],
Et la mort de Tryphon dans un dernier combat,
Changeant tout notre sort, lui rendit tout l'État[7].
Quelque promesse alors qu'il eût faite à la mère
60 De remettre ses fils au trône[8] de leur père,
Il témoigna si peu de la vouloir tenir,
Qu'elle n'osa jamais les faire revenir.
Ayant régné sept ans, son ardeur militaire
Ralluma cette guerre où succomba son frère,
65 Il attaqua le Parthe, et se crut assez fort
Pour en venger sur lui la prison, et la mort.
Jusque dans ses États il lui porta la guerre,
Il s'y fit partout craindre à l'égal du tonnerre,
Il lui donna bataille[9], où mille beaux exploits…
70 Je vous achèverai le reste une autre fois,
Un des Princes survient.

                    Elle[10] *se veut retirer.*

SCÈNE II

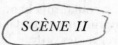

ANTIOCHUS, TIMAGÈNE, LAONICE

ANTIOCHUS

Demeurez, Laonice,
Vous pouvez, comme lui, me rendre un bon office.
Dans l'état où je suis, triste et plein de souci,
Si j'espère beaucoup, je crains beaucoup aussi.
75 Un seul mot aujourd'hui maître de ma fortune
M'ôte, ou donne à jamais le sceptre, et Rodogune
Et de tous les mortels ce secret révélé
Me rend le plus content, ou le plus désolé.
Je vois dans le hasard tous les biens que j'espère,
80 Et ne puis être heureux sans le malheur d'un frère,
Mais d'un frère si cher, qu'une sainte amitié[1]
Fait sur moi de ses maux rejaillir la moitié.
Donc pour moins hasarder j'aime mieux moins
                              [prétendre,
Et pour rompre le coup[2] que mon cœur n'ose
                              [attendre,
85 Lui cédant de deux biens le plus brillant aux yeux,
M'assurer de celui qui m'est plus précieux.
Heureux, si sans attendre un fâcheux droit d'aînesse
Pour un trône incertain j'en obtiens la Princesse,
Et puis par ce partage épargner les soupirs
90 Qui naîtraient de ma peine, ou de ses déplaisirs[3].
Va le voir de ma part, Timagène, et lui dire
Que pour cette beauté je lui cède l'Empire :
Mais porte-lui si haut la douceur de régner,
Qu'à cet éclat du trône il se laisse gagner,

95 Qu'il s'en laisse éblouir, jusqu'à ne pas connaître
À quel prix je consens de l'accepter pour maître.

> *Timagène s'en va, et le Prince continue à*
> *parler à Laonice.*

Et vous, en ma faveur voyez ce cher objet[1],
Et tâchez d'abaisser ses yeux sur un sujet
Qui peut-être aujourd'hui porterait la couronne,
100 S'il n'attachait les siens à sa seule personne,
Et ne la préférait à cet illustre rang
Pour qui les plus grands cœurs prodiguent tout leur
[sang[2].

TIMAGÈNE *rentre sur le théâtre*

Seigneur, le Prince vient, et votre amour lui-même
Lui peut sans interprète offrir le diadème.

ANTIOCHUS

105 Ah ! je tremble, et la peur d'un trop juste refus
Rend ma langue muette, et mon esprit confus.

SCÈNE III

SÉLEUCUS, ANTIOCHUS, TIMAGÈNE, LAONICE

SÉLEUCUS

Vous puis-je en confiance expliquer ma pensée ?

ANTIOCHUS

Parlez, notre amitié par ce doute est blessée.

SÉLEUCUS

Hélas ! c'est le malheur que je crains aujourd'hui,
110 L'égalité, mon frère, en est le ferme appui,
C'en est le fondement, la liaison, le gage,
Et voyant d'un côté tomber tout l'avantage,
Avec juste raison je crains qu'entre nous deux
L'égalité rompue en rompe les doux nœuds,
115 Et que ce jour fatal à l'heur[1] de notre vie
Jette sur l'un de nous trop de honte, ou d'envie.

ANTIOCHUS

Comme nous n'avons eu jamais qu'un sentiment,
Cette peur me touchait, mon frère, également,
Mais si vous le voulez, j'en sais bien le remède.

SÉLEUCUS

120 Si je le veux ! bien plus, je l'apporte, et vous cède
Tout ce que la couronne a de charmant en soi.
Oui, Seigneur (car je parle à présent à mon Roi)
Pour le trône cédé cédez-moi Rodogune,
Et je n'envierai point votre haute fortune.
125 Ainsi notre destin n'aura rien de honteux,
Ainsi notre bonheur n'aura rien de douteux,
Et nous mépriserons ce faible droit d'aînesse,
Vous, satisfait du trône, et moi, de la Princesse.

ANTIOCHUS

Hélas !

SÉLEUCUS

Recevez-vous l'offre avec déplaisir ?

ANTIOCHUS

130 Pouvez-vous nommer offre une ardeur de choisir,
Qui de la même main[1] qui me cède un Empire
M'arrache un bien plus grand, et le seul où j'aspire.

SÉLEUCUS

Rodogune?

ANTIOCHUS

Elle-même, ils[2] en sont les témoins.

SÉLEUCUS

Quoi, l'estimez-vous tant?

ANTIOCHUS

Quoi, l'estimez-vous moins?

SÉLEUCUS

135 Elle vaut bien un trône, il faut que je le die[3].

ANTIOCHUS

Elle vaut à mes yeux tout ce qu'en a l'Asie[4].

SÉLEUCUS

Vous l'aimez donc, mon frère?

ANTIOCHUS

Et vous l'aimez aussi;
C'est là tout mon malheur, c'est là tout mon souci.
J'espérais que l'éclat dont le trône se pare
140 Toucherait vos désirs plus qu'un objet si rare[5],
Mais aussi bien qu'à moi son prix vous est connu,

Et dans ce juste choix vous m'avez prévenu.
Ah, déplorable[1] Prince !

SÉLEUCUS

Ah, Destin trop contraire !

ANTIOCHUS

Que ne ferais-je point contre un autre qu'un frère ?

SÉLEUCUS

145 Ô mon cher frère ! ô nom pour un rival trop doux !
Que ne ferais-je point contre un autre que vous ?

ANTIOCHUS

Où nous vas-tu réduire, amitié fraternelle ?

SÉLEUCUS

Amour, qui doit ici vaincre de vous, ou d'elle ?

ANTIOCHUS

L'amour, l'amour doit vaincre, et la triste[2] amitie
150 Ne doit être à tous deux qu'un objet de pitié.
Un grand cœur cède un trône, et le cède avec gloire,
Cet effort de vertu couronne sa mémoire,
Mais lorsqu'un digne objet a pu nous enflammer,
Qui le cède est un lâche, et ne sait pas aimer.
155 De tous deux Rodogune a charmé le courage[3],
Cessons par trop d'amour de lui faire un outrage.
Elle doit épouser, non pas vous, non pas moi,
Mais de moi, mais de vous, quiconque sera Roi :
La couronne entre nous flotte encore incertaine,
160 Mais sans incertitude elle doit être Reine ;
Cependant, aveuglés dans notre vain projet,

Nous la faisons tous deux la femme d'un sujet !
Régnons, l'ambition ne peut être que belle,
Et pour elle quittée, et reprise pour elle,
165 Et ce trône où[1] tous deux nous osions renoncer,
Souhaitons-le tous deux, afin de l'y placer :
C'est dans notre destin le seul conseil[2] à prendre,
Nous pouvons nous en plaindre, et nous devons
                                    [l'attendre.

SÉLEUCUS

Il faut encor plus faire, il faut qu'en ce grand jour
170 Notre amitié triomphe aussi bien que l'amour.
    Ces deux sièges fameux de Thèbes, et de Troie[3],
Qui mirent l'une en sang, l'autre aux flammes en
                                    [proie,
N'eurent pour fondements à leurs maux infinis
Que ceux que contre nous le Sort a réunis.
175 Il sème entre nous deux toute la jalousie
Qui dépeupla la Grèce, et saccagea l'Asie ;
Un même espoir du sceptre est permis à tous deux,
Pour la même beauté nous faisons mêmes vœux,
Thèbes périt pour l'un, Troie a brûlé pour l'autre,
180 Tout va choir en ma main, ou tomber en la vôtre,
En vain notre amitié tâchait à partager[4],
Et si j'ose tout dire, un titre assez léger,
Un droit d'aînesse obscur, sur la foi d'une mère
Va combler l'un de gloire, et l'autre de misère.
185 Que de sujets de plainte en ce double intérêt[5]
Aura le malheureux contre un si faible arrêt !
Que de sources de haine ! hélas, jugez le reste,
Craignez-en avec moi l'événement funeste,
Ou plutôt avec moi faites un digne effort
190 Pour armer votre cœur contre un si triste sort,

Malgré l'éclat du trône, et l'amour d'une femme,
Faisons si bien régner l'amitié sur notre âme
Qu'étouffant dans leur perte[1] un regret suborneur[2],
Dans le bonheur d'un frère on trouve son bonheur.
195 Ainsi ce qui jadis perdit Thèbes, et Troie
Dans nos cœurs mieux unis ne versera que joie,
Ainsi notre amitié triomphante à son tour
Vaincra la jalousie, en cédant à l'amour,
Et de notre destin bravant l'ordre barbare
200 Trouvera des douceurs aux maux qu'il nous prépare.

ANTIOCHUS

Le pourrez-vous, mon frère?

SÉLEUCUS

                    Ah, que vous me pressez!
Je le voudrai du moins, mon frère, et c'est assez,
Et ma raison sur moi gardera tant d'empire,
Que je désavouerai mon cœur, s'il en soupire.

ANTIOCHUS

205 J'embrasse comme vous ces nobles sentiments.
Mais allons leur donner le secours des serments,
Afin qu'étant témoins de l'amitié jurée
Les Dieux contre un tel coup assurent sa durée.

SÉLEUCUS

Allons, allons, l'étreindre[3] au pied de leurs autels
210 Par des liens sacrés et des nœuds immortels.

SCÈNE IV

LAONICE, TIMAGÈNE

LAONICE

Peut-on plus dignement mériter la couronne ?

TIMAGÈNE

Je ne suis point surpris de ce qui vous étonne,
Confident de tous deux, prévoyant leur douleur,
J'ai prévu leur constance, et j'ai plaint leur malheur.
215 Mais de grâce, achevez l'histoire commencée.

LAONICE

Pour la reprendre donc où nous l'avons laissée,
Les Parthes au combat par les nôtres forcés,
Tantôt presque vainqueurs, tantôt presque enfoncés,
Sur l'une et l'autre armée également heureuse
220 Virent longtemps voler la victoire douteuse ;
Mais la Fortune enfin se tourna contre nous,
Si bien qu'Antiochus, percé de mille coups,
Près de tomber aux mains d'une troupe ennemie
Lui voulut dérober les restes de sa vie,
225 Et préférant aux fers la gloire de périr,
Lui-même par sa main acheva de mourir.
La Reine, ayant appris cette triste nouvelle,
En reçut tôt après une autre plus cruelle,
Que Nicanor vivait, que sur un faux rapport
230 De ce premier époux elle avait cru la mort,
Que piqué jusqu'au vif contre son hyménée
Son âme à l'imiter s'était déterminée,

Et que, pour s'affranchir des fers de son vainqueur,
Il allait épouser la Princesse sa sœur[1].
235 (C'est cette Rodogune, où l'un et l'autre frère
Trouve encor les appas qu'avait trouvés leur père.)
La reine envoie[2] en vain pour se justifier,
On a beau la défendre, on a beau le prier,
On ne rencontre en lui qu'un juge inexorable,
240 Et son amour nouveau la veut croire coupable ;
Son erreur est un crime, et pour l'en punir mieux,
Il veut même épouser Rodogune à ses yeux,
Arracher de son front le sacré diadème,
Pour ceindre une autre tête en sa présence même ;
245 Soit qu'ainsi sa vengeance eût plus d'indignité[3],
Soit qu'ainsi cet hymen eût plus d'autorité,
Et qu'il assurât mieux par cette barbarie
Aux enfants qui naîtraient le trône de Syrie.
      Mais tandis qu'animé de colère, et d'amour
250 Il vient déshériter ses fils par son retour,
Et qu'un gros escadron de Parthes pleins de joie
Conduit ces deux amants, et court comme à la proie,
La Reine au désespoir de n'en rien obtenir
Se résout de se perdre, ou de le prévenir[4].
255 Elle oublie un mari qui veut cesser de l'être,
Qui ne veut plus la voir qu'en implacable maître,
Et changeant à regret son amour en horreur,
Elle abandonne tout à sa juste fureur.
Elle-même leur dresse une embûche au passage,
260 Se mêle dans les coups, porte partout sa rage,
En pousse jusqu'au bout les furieux effets.
Que vous dirai-je enfin ? les Parthes sont défaits,
Le Roi meurt, et dit-on, par la main de la Reine,
Rodogune captive est livrée à sa haine ;
265 Tous les maux qu'un esclave endure dans les fers,

Alors sans moi, mon frère, elle les eût soufferts,
La Reine à la gêner[1] prenant mille délices
Ne commettait[2] qu'à moi l'ordre de ses supplices ;
Mais quoi que m'ordonnât cette âme toute en feu,
270 Je promettais beaucoup et j'exécutais peu.
Le Parthe cependant en jure la vengeance,
Sur nous à main armée il fond en diligence,
Nous surprend, nous assiège, et fait un tel effort,
Que, la ville aux abois, on lui parle d'accord.
275 Il veut fermer l'oreille, enflé de l'avantage,
Mais voyant parmi nous Rodogune en otage,
Enfin il craint pour elle, et nous daigne écouter,
Et c'est ce qu'aujourd'hui l'on doit exécuter.
     La Reine, de l'Égypte a rappelé nos Princes,
280 Pour remettre à l'aîné son trône, et ses Provinces,
Rodogune a paru sortant de sa prison,
Comme un Soleil levant dessus notre horizon,
Le Parthe a décampé[3] pressé par d'autres guerres
Contre l'Arménien qui ravage ses terres,
285 D'un ennemi cruel il s'est fait notre appui[4],
La Paix finit la haine, et pour comble aujourd'hui
(Dois-je dire de bonne, ou mauvaise fortune ?)
Nos deux Princes tous deux adorent Rodogune.

TIMAGÈNE

Sitôt qu'ils ont paru tous deux en cette Cour,
290 Ils ont vu Rodogune, et j'ai vu leur amour :
Mais comme étant rivaux nous les trouvons à plaindre,
Connaissant leur vertu, je n'en vois rien à craindre.
Pour vous qui gouvernez[5] cet objet de leurs vœux…

LAONICE

Et n'ai point encor vu qu'elle aime aucun des deux.

TIMAGÈNE

295 Vous me trouvez mal propre[1] à cette confidence,
Et peut-être à dessein je la vois qui s'avance.
Adieu, je dois au rang qu'elle est prête à tenir
Du moins la liberté de vous entretenir.

SCÈNE V

RODOGUNE, LAONICE

RODOGUNE

Je ne sais quel malheur aujourd'hui me menace,
300 Et coule dans ma joie une secrète glace,
Je tremble, Laonice, et te voulais parler,
Ou pour chasser ma crainte, ou pour m'en consoler.

LAONICE

Quoi, Madame, en ce jour pour vous si plein de
[gloire ?

RODOGUNE

Ce jour m'en promet tant, que j'ai peine à tout croire.
305 La Fortune me traite avec trop de respect,
Et le trône, et l'hymen, tout me devient suspect.
L'hymen semble à mes yeux cacher quelque supplice,
Le trône, sous mes pas creuser un précipice,
Je vois de nouveaux fers après les miens brisés,
310 Et je prends tous ces biens pour des maux déguisés.
En un mot, je crains tout de l'esprit de la Reine.

le secret

LAONICE

La paix qu'elle a jurée en a calmé la haine.

RODOGUNE

La haine entre les Grands se calme rarement,
La Paix souvent n'y sert que d'un amusement[1],
315 Et dans l'état[2] où j'entre, à te parler sans feinte,
Elle a lieu de me craindre, et je crains cette crainte.
Non qu'enfin je ne donne au bien des deux États
Ce que j'ai dû de haine à de tels attentats[3],
J'oublie, et pleinement, toute mon aventure :
320 Mais une grande offense[4] est de cette nature,
Que toujours son auteur impute à l'offensé
Un vif ressentiment dont il le croit blessé,
Et quoiqu'en apparence on les réconcilie,
Il le craint, il le hait, et jamais ne s'y fie,
325 Et toujours alarmé de cette illusion,
Sitôt qu'il peut le perdre, il prend l'occasion.
Telle est pour moi la Reine.

LAONICE

                              Ah, Madame, je jure
Que par ce faux soupçon vous lui faites injure.
Vous devez oublier un désespoir jaloux,
330 Où força son courage[5] un infidèle époux.
Si teinte de son sang, et toute furieuse,
Elle vous traita lors en rivale odieuse,
L'impétuosité d'un premier mouvement
Engageant sa vengeance à ce dur traitement ;
335 Il fallait un prétexte à vaincre sa colère,
Il y fallait du temps, et pour ne vous rien taire,
Quand je me dispensais[6] à lui mal obéir,
Quand en votre faveur je semblais la trahir,

Peut-être qu'en son cœur plus douce, et repentie,
340 Elle en dissimulait[1] la meilleure partie,
Que se voyant tromper elle fermait les yeux,
Et qu'un peu de pitié la satisfaisait mieux.
À présent que l'amour succède à la colère,
Elle ne vous voit plus qu'avec des yeux de mère,
345 Et si de cet amour je la voyais sortir,
Je jure de nouveau de vous en avertir.
Vous savez comme quoi je vous suis toute acquise :
Le Roi souffrirait-il d'ailleurs quelque surprise ?

RODOGUNE

Qui que ce soit des deux, qu'on couronne
[aujourd'hui,
350 Elle sera sa mère, et pourra tout sur lui.

LAONICE

Qui que ce soit des deux, je sais qu'il vous adore.
Connaissant leur amour, pouvez-vous craindre
[encore ?

RODOGUNE

Oui, je crains leur hymen, et d'être à l'un des deux.

LAONICE

Quoi, sont-ils des sujets indignes de vos feux ?

RODOGUNE

355 Comme ils ont même sang avec pareil mérite[2],
Un avantage égal pour eux me sollicite,
Mais il est malaisé dans cette égalité
Qu'un esprit combattu[3] ne penche d'un côté.
Il est des nœuds secrets, il est des sympathies,

360 Dont par le doux rapport les âmes assorties
S'attachent l'une à l'autre, et se laissent piquer
Par ces je ne sais quoi, qu'on ne peut expliquer.
C'est par là que l'un d'eux obtient la préférence,
Je crois voir l'autre encore avec indifférence,
365 Mais cette indifférence est une aversion,
Lorsque je la compare avec ma passion.
Étrange effet d'amour ! incroyable chimère[1] !
Je voudrais être à lui, si je n'aimais son frère,
Et le plus grand des maux toutefois que je crains,
370 C'est que mon triste sort me livre entre ses mains.

LAONICE

Ne pourrai-je servir une si belle flamme ?

RODOGUNE

Ne crois pas en tirer le secret de mon âme.
Quelque époux que le Ciel veuille me destiner,
C'est à lui pleinement que je veux me donner.
375 De celui que je crains si je suis le partage[2],
Je saurai l'accepter, avec même visage,
L'hymen me le rendra précieux à son tour,
Et le devoir fera ce qu'aurait fait l'amour,
Sans crainte qu'on reproche à mon humeur[3] forcée
380 Qu'un autre qu'un mari règne sur ma pensée.

LAONICE

Vous craignez que ma foi[4] vous l'ose reprocher !

RODOGUNE

Que ne puis-je à moi-même aussi bien le cacher !

LAONICE

Quoi que vous me cachiez, aisément je devine,
Et pour vous dire enfin ce que je m'imagine,
385 Le Prince...

RODOGUNE

Garde-toi de nommer mon vainqueur,
Ma rougeur trahirait les secrets de mon cœur,
Et je te voudrais mal de cette violence
Que ta dextérité ferait à mon silence.
Même de peur qu'un mot par hasard échappé
390 Te fasse voir ce cœur, et quels traits l'ont frappé,
Je romps un entretien dont la suite me blesse.
Adieu, mais souviens-toi que c'est sur ta promesse
Que mon esprit reprend quelque tranquillité.

LAONICE

Madame, assurez-vous[1] sur ma fidélité.

FIN DU PREMIER ACTE

ACTE II

SCÈNE PREMIÈRE

CLÉOPÂTRE

de la raison d'État

395 Serments fallacieux, salutaire contrainte,
Que m'imposa la force, et qu'accepta ma crainte,
Heureux déguisements d'un immortel courroux,
Vains fantômes d'État[1], évanouissez-vous.
Si d'un péril pressant la terreur vous fit naître,
400 Avec ce péril même il vous faut disparaître,
Semblables à ces vœux dans l'orage formés,
Qu'efface un prompt oubli, quand les flots sont
[calmés.
Et vous qu'avec tant d'art cette feinte a voilée,
Recours des impuissants, haine dissimulée,
405 Digne vertu des Rois, noble secret de Cour,
Éclatez, il est temps, et voici notre jour.
Montrons-nous toutes deux[2], non plus comme
[sujettes,
Mais telle que je suis, et telle que vous êtes,
Le Parthe est éloigné, nous pouvons tout oser,

la haine

moi et ma haine

410 Nous n'avons rien à craindre, et rien à déguiser,
Je hais, je règne encor. Laissons d'illustres marques
En quittant, s'il le faut, ce haut rang des Monarques,
Faisons-en avec gloire un départ éclatant,
Et rendons-le funeste[1] à celle qui l'attend.
415 C'est encor, c'est encor cette même ennemie
Qui cherchait ses honneurs dedans mon infamie,
Dont la haine à son tour croit me faire la loi,
Et régner par mon ordre, et sur vous, et sur moi.
Tu m'estimes bien lâche, imprudente rivale,
420 Si tu crois que mon cœur jusque-là se ravale,
Qu'il souffre qu'un hymen qu'on t'a promis en vain
Te mette ta vengeance, et mon sceptre à la main.
Vois jusqu'où m'emporta l'amour du diadème,
Vois quel sang il me coûte, et tremble pour toi-même[2],
425 Tremble, te dis-je, et songe, en dépit du Traité,
Que pour t'en faire un don je l'ai trop acheté.

SCÈNE II

CLÉOPÂTRE, LAONICE

CLÉOPÂTRE

Laonice, vois-tu que le peuple s'apprête
Au pompeux appareil de cette grande fête ?

LAONICE

La joie en est publique, et les Princes tous deux[3]
430 Des Syriens ravis emportent tous les vœux.
L'un et l'autre fait voir un mérite si rare,
Que le souhait confus entre les deux s'égare,

Et ce qu'en quelques-uns on voit d'attachement
N'est qu'un faible ascendant[1] d'un premier
　　　　　　　　　　　　　　　[mouvement.
435 Ils penchent d'un côté, prêts à tomber de l'autre,
Leur choix, pour s'affermir attend encor le vôtre,
Et de celui qu'ils font ils sont si peu jaloux,
Que votre secret su les réunira tous.

CLÉOPÂTRE

Sais-tu que mon secret n'est pas ce que l'on pense?

LAONICE

440 J'attends avec eux tous celui de leur naissance.

CLÉOPÂTRE

Pour un esprit de cour, et nourri[2] chez les grands,
Tes yeux dans leurs secrets sont bien peu pénétrants.
Apprends, ma confidente, apprends à me connaître.
　Si je cache en quel rang le Ciel les a fait naître,
445 Vois, vois que tant que l'ordre en demeure douteux,
Aucun des deux ne règne et je règne pour eux.
Quoique ce soit un bien que l'un et l'autre attende,
De crainte de le perdre, aucun ne le demande,
Cependant je possède[3], et leur droit incertain
450 Me laisse avec leur sort leur sceptre dans la main.
Voilà mon grand secret. Sais-tu par quel mystère
Je les laissais tous deux en dépôt chez mon frère?

LAONICE

J'ai cru qu'Antiochus les tenait éloignés
Pour jouir des États qu'il avait regagnés.

CLÉOPÂTRE

455 Il occupait leur trône, et craignait leur présence,
Et cette juste crainte assurait ma puissance.
Mes ordres en étaient de point en point suivis
Quand je le menaçais du retour de mes fils,
Voyant ce foudre[1] prêt à suivre ma colère,
460 Quoi qu'il me plût oser, il n'osait me déplaire,
Et content malgré lui du vain titre de Roi,
S'il régnait au lieu d'eux, ce n'était que sous moi.
   Je te dirai bien plus. Sans violence aucune
J'aurais vu Nicanor épouser Rodogune,
465 Si content de lui plaire, et de me dédaigner,
Il eût vécu chez elle, en me laissant régner[2] :
Son retour me fâchait plus que son hyménée,
Et j'aurais pu l'aimer, s'il ne l'eût couronnée.
Tu vis comme il y fit des efforts superflus,
470 Je fis beaucoup alors, et ferais encor plus,
S'il était quelque voie, infâme, ou légitime,
Que m'enseignât la gloire, ou que m'ouvrît le crime,
Qui me pût conserver un bien que j'ai chéri,
Jusqu'à verser pour lui tout le sang d'un mari.
475 Dans l'état pitoyable où m'en réduit la suite,
Délices de mon cœur, il faut que je te quitte,
On m'y force, il le faut, mais on verra quel fruit
En recevra bientôt celle qui m'y réduit.
L'amour que j'ai pour toi tourne en haine pour elle,
480 Autant que l'un fut grand, l'autre sera cruelle,
Et puisqu'en te perdant j'ai sur qui m'en venger,
Ma perte est supportable, et mon mal est léger.

LAONICE

Quoi, vous parlez encor de vengeance et de haine
Pour celle dont vous-même allez faire une Reine ?

CLÉOPÂTRE

485 Quoi, je ferais un Roi pour être son époux,
Et m'exposer aux traits de son juste courroux ?
N'apprendras-tu jamais, âme basse, et grossière,
À voir par d'autres yeux que les yeux du vulgaire ?
Toi qui connais ce peuple et sais qu'aux champs de
[Mars[1]
490 Lâchement d'une femme il suit les étendards,
Que sans Antiochus Tryphon m'eût dépouillée,
Que sous lui son ardeur fut soudain réveillée,
Ne saurais-tu juger que si je nomme un Roi,
C'est pour le commander, et combattre pour moi ?
495 J'en ai le choix en main avec le droit d'aînesse,
Et puisqu'il en faut faire une aide à ma faiblesse,
Que la guerre sans lui ne peut se rallumer,
J'userai bien du droit que j'ai de le nommer.
On ne montera point au rang dont je dévale[2],
500 Qu'en épousant ma haine, au lieu de ma rivale[3],
Ce n'est qu'en me vengeant qu'on me le peut ravir,
Et je ferai régner qui me voudra servir.

LAONICE

Je vous connaissais mal.

CLÉOPÂTRE

                    Connais-moi tout entière.
Quand je mis Rodogune en tes mains prisonnière,
505 Ce ne fut ni pitié, ni respect de son rang,
Qui m'arrêta le bras, et conserva son sang.
La mort d'Antiochus me laissait sans armée,
Et d'une troupe en hâte à me suivre animée,
Beaucoup dans ma vengeance ayant fini leurs jours,
510 M'exposaient à son frère[4], et faible, et sans secours.

Je me voyais perdue, à moins d'un tel otage :
Il vint, et sa fureur craignit pour ce cher gage,
Il m'imposa des lois, exigea des serments,
Et moi j'accordai tout, pour obtenir du temps,
515 Le temps est un trésor plus grand qu'on ne peut
                                            [croire,
J'en obtins, et je crus obtenir la victoire ;
J'ai pu reprendre haleine, et sous de faux apprêts…
Mais voici mes deux fils que j'ai mandés exprès,
Écoute, et tu verras quel est cet hyménée
520 Où se doit terminer cette illustre journée.

SCÈNE III

CLÉOPÂTRE, ANTIOCHUS, SÉLEUCUS, LAONICE

CLÉOPÂTRE

Mes enfants, prenez place. Enfin voici le jour
Si doux à mes souhaits, si cher à mon amour,
Où je puis voir briller sur une de vos têtes
Ce que j'ai conservé parmi tant de tempêtes,
525 Et vous remettre un bien après tant de malheurs
Qui m'a coûté pour vous tant de soins, et de pleurs.
Il peut vous souvenir quelles furent mes larmes,
Quand Tryphon me donna de si rudes alarmes,
Que pour ne vous pas voir exposés à ses coups,
530 Il fallut me résoudre à me priver de vous.
Quelles peines depuis, grands Dieux, n'ai-je
                                         [souffertes !
Chaque jour redoubla mes douleurs, et mes pertes,
Je vis votre royaume entre ces murs réduit,

Je crus mort votre père, et sur un si faux bruit
535 Le peuple mutiné voulut avoir un maître ;
J'eus beau le nommer lâche, ingrat, parjure, traître,
Il fallut satisfaire à son brutal désir,
Et de peur qu'il en prît[1], il m'en fallut choisir.
Pour vous sauver l'État que n'eussé-je pu faire ?
540 Je choisis un époux avec des yeux de mère,
Votre oncle Antiochus, et j'espérai qu'en lui
Votre trône tombant trouverait un appui.
Mais à peine son bras en relève la chute,
Que par lui de nouveau le Sort me persécute ;
545 Maître de votre État par sa valeur sauvé,
Il s'obstine à remplir[2] ce trône relevé,
Qui lui parle de vous attire sa menace,
Il n'a défait Tryphon, que pour prendre sa place.
Et de dépositaire[3], et de libérateur
550 Il s'érige en Tyran, et lâche usurpateur.
Sa main l'en a puni, pardonnons à son ombre,
Aussi bien en un seul voici des maux sans nombre.
    Nicanor votre père, et mon premier époux…
Mais pourquoi lui donner encor des noms si doux,
555 Puisque l'ayant cru mort, il sembla ne revivre
Que pour s'en dépouiller[4] afin de nous poursuivre ?
Passons, je ne me puis souvenir, sans trembler,
Du coup dont j'empêchai qu'il nous pût accabler :
Je ne sais s'il est digne, ou d'horreur, ou d'estime,
560 S'il plut aux Dieux, ou non, s'il fut justice, ou crime,
Mais soit crime, ou justice, il est certain, mes fils,
Que mon amour pour vous fit tout ce que je fis.
Ni celui des grandeurs, ni celui de la vie
Ne jeta dans mon cœur cette aveugle furie[5].
565 J'étais lasse d'un trône où d'éternels malheurs
Me comblaient chaque jour de nouvelles douleurs,

Ma vie est presque usée, et ce reste inutile
Chez mon frère avec vous trouvait un sûr asile :
Mais voir après douze ans, et de soins, et de maux,
570 Un père vous ôter le fruit de mes travaux !
Mais voir votre couronne après lui destinée
Aux enfants qui naîtraient d'un second hyménée !
À cette indignité je ne connus plus rien,
Je me crus tout permis pour garder votre bien.
575 Recevez donc, mes fils, de la main d'une mère
Un trône racheté par le malheur d'un père ;
Je crus qu'il fit lui-même un crime, en vous l'ôtant,
Et si j'en ai fait un en vous le rachetant,
Daigne du juste Ciel la bonté souveraine,
580 Vous en laissant le fruit, m'en réserver la peine,
Ne lancer que sur moi les foudres mérités[1],
Et n'épandre sur vous que des prospérités.

ANTIOCHUS

Jusques ici, Madame, aucun ne met en doute
Les longs, et grands travaux[2] que notre amour vous
[coûte,
585 Et nous croyons tenir des soins de cette amour
Ce doux espoir du trône, aussi bien que le jour.
Le récit nous en charme[3], et nous fait mieux
[comprendre
Quelles grâces tous deux nous vous en devons rendre :
Mais afin qu'à jamais nous les puissions bénir,
590 Épargnez le dernier à notre souvenir.
Ce sont fatalités dont l'âme embarrassée
À plus qu'elle ne veut se voit souvent forcée.
Sur les noires couleurs d'un si triste tableau
Il faut passer l'éponge, ou tirer le rideau[4],
595 Un fils est criminel, quand il les examine,

Et quelque suite enfin que le Ciel y destine,
J'en rejette l'idée, et crois qu'en ces malheurs
Le silence, ou l'oubli nous sied mieux que les pleurs.
Nous attendons le sceptre avec même espérance,
600 Mais si nous l'attendons, c'est sans impatience,
Nous pouvons sans régner vivre tous deux contents,
C'est le fruit de vos soins, jouissez-en longtemps,
Il tombera sur nous quand vous en serez lasse,
Nous le recevrons lors de bien meilleure grâce,
605 Et l'accepter si tôt semble nous reprocher
De n'être revenus que pour vous l'arracher.

SÉLEUCUS

J'ajouterai, Madame, à ce qu'a dit mon frère
Que bien qu'avec plaisir, et l'un, et l'autre espère,
L'ambition n'est pas notre plus grand désir.
610 Régnez, nous le verrons tous deux avec plaisir[1],
Et c'est bien la raison que pour tant de puissance
Nous vous rendions du moins un peu d'obéissance,
Et que celui de nous dont le Ciel a fait choix
Sous votre illustre exemple apprenne l'art des Rois.

CLÉOPÂTRE

615 Dites tout, mes enfants. Vous fuyez la couronne,
Non que son trop d'éclat, ou son poids vous étonne[2];
L'unique fondement de cette aversion,
C'est la honte attachée à sa possession.
Elle passe à vos yeux pour la même infamie,
620 S'il faut la partager avec notre ennemie[3],
Et qu'un indigne hymen la fasse retomber
Sur celle qui venait, pour vous la dérober.
   Ô nobles sentiments d'une âme généreuse !
   Ô fils vraiment mes fils ! ô mère trop heureuse !

625 Le sort de votre père enfin est éclairci,
Il était innocent, et je puis l'être aussi ;
Il vous aima toujours, et ne fut mauvais père
Que charmé[1] par la sœur, ou forcé par le frère,
Et dans cette embuscade, où son effort fut vain,
630 Rodogune, mes fils, le tua par ma main[2].
Ainsi de cette amour[3] la fatale puissance
Vous coûte votre père, à moi mon innocence,
Et si ma main pour vous n'avait tout attenté,
L'effet de cet amour vous aurait tout coûté.
635 Ainsi vous me rendrez l'innocence, et l'estime,
Lorsque vous punirez la cause de mon crime.
De cette même main qui vous a tout sauvé
Dans son sang odieux je l'aurais bien lavé,
Mais comme vous aviez votre part aux offenses,
640 Je vous ai réservé votre part aux vengeances,
Et pour ne tenir plus en suspens vos esprits,
Si vous voulez régner, le trône est à ce prix.
Entre deux fils que j'aime avec même tendresse
Embrasser ma querelle est le seul droit d'aînesse,
645 La mort de Rodogune en nommera l'aîné.
      Quoi, vous montrez tous deux un visage étonné[4] !
Redoutez-vous son frère ? Après la paix infâme,
Que même en la jurant je détestais dans l'âme,
J'ai fait lever des gens par des ordres secrets,
650 Qu'à vous suivre en tous lieux vous trouverez tous
                                          [prêts ;
Et tandis qu'il fait tête aux Princes d'Arménie,
Nous pouvons sans péril briser sa tyrannie.
Qui[5] vous fait donc pâlir à cette juste loi ?
Est-ce pitié pour elle ? est-ce haine pour moi ?
655 Voulez-vous l'épouser, afin qu'elle me brave,
Et mettre mon destin aux mains de mon esclave ?

Vous ne répondez point! Allez, enfants ingrats,
Pour qui je crus en vain conserver ces États,
J'ai fait votre oncle roi, j'en ferai bien un autre,
660 Et mon nom peut encore ici plus que le vôtre.

SÉLEUCUS

Mais, Madame, voyez que[1] pour premier exploit...

CLÉOPÂTRE

Mais que chacun de vous pense à ce qu'il me doit.
Je sais bien que le sang qu'à vos mains je demande
N'est pas le digne essai d'une valeur bien grande,
665 Mais si vous me devez, et le sceptre, et le jour,
Ce doit être envers moi le sceau de votre amour.
Sans ce gage ma haine à jamais s'en défie,
Ce n'est qu'en m'imitant que l'on me justifie.
Rien ne vous sert ici de faire les surpris,
670 Je vous le dis encor, le trône est à ce prix.
Je puis en disposer comme de ma conquête;
Point d'aîné, point de roi qu'en m'apportant sa tête,
Et puisque mon seul choix vous y peut élever,
Pour jouir de mon crime, il le faut achever.

SCÈNE IV

SÉLEUCUS, ANTIOCHUS

SÉLEUCUS

675 Est-il une constance à l'épreuve du foudre
Dont ce cruel arrêt met notre espoir en poudre[2]?

ANTIOCHUS

Est-il un coup de foudre à comparer aux coups
Que ce cruel arrêt vient de lancer sur nous?

SÉLEUCUS

Ô haines, ô fureurs dignes d'une Mégère[1]!
680 Ô femme, que je n'ose appeler encor mère!
Après que tes forfaits ont régné pleinement,
Ne saurais-tu souffrir qu'on règne innocemment?
Quels attraits penses-tu qu'ait pour nous la couronne,
S'il faut qu'un crime égal par ta main nous la donne,
685 Et de quelles horreurs nous doit-elle combler,
Si pour monter au trône, il faut te ressembler?

ANTIOCHUS

Gardons plus de respect aux droits de la Nature,
Et n'imputons qu'au Sort notre triste aventure.
Nous le nommions cruel, mais il nous était doux,
690 Quand il ne nous donnait à combattre que nous.
Confidents tout ensemble, et rivaux l'un de l'autre,
Nous ne concevions point de mal pareil au nôtre,
Cependant à nous voir l'un de l'autre rivaux
Nous ne concevions pas la moitié de nos maux.

SÉLEUCUS

695 Une douleur si sage et si respectueuse
Ou n'est guère sensible, ou guère impétueuse,
Et c'est en de tels maux avoir l'esprit bien fort
D'en connaître la cause, et l'imputer au Sort.
Pour moi, je sens les miens avec plus de faiblesse,
700 Plus leur cause m'est chère, et plus l'effet m'en blesse,
Non que pour m'en venger j'ose entreprendre rien[2],
Je donnerais encor tout mon sang pour le sien,

Je sais ce que je dois ; mais dans cette contrainte,
Si je retiens mon bras, je laisse aller ma plainte,
705 Et j'estime qu'au point qu'elle nous a blessés
Qui ne fait que s'en plaindre, a du respect assez.
Voyez-vous bien quel est le ministère[1] infâme
Qu'ose exiger de nous la haine d'une femme ?
Voyez-vous qu'aspirant à des crimes nouveaux,
710 De deux Princes ses fils elle fait ses bourreaux ?
Si vous pouvez le voir, pouvez-vous vous en taire ?

ANTIOCHUS

Je vois bien plus encor, je vois qu'elle est ma mère,
Et plus je vois son crime indigne de ce rang,
Plus je lui vois souiller la source de mon sang.
715 J'en sens de ma douleur croître la violence,
Mais ma confusion m'impose le silence,
Lorsque dans ses forfaits sur nos fronts imprimés
Je vois les traits honteux dont nous sommes formés.
Je tâche à cet objet d'être aveugle ou stupide[2],
720 J'ose me déguiser jusqu'à son parricide[3],
Je me cache à moi-même un excès de malheur,
Où notre ignominie égale ma douleur,
Et détournant les yeux d'une mère cruelle,
J'impute tout au Sort, qui m'a fait naître d'elle.
725   Je conserve pourtant encore un peu d'espoir,
Elle est mère, et le sang a beaucoup de pouvoir,
Et le sort l'eût-il faite encor plus inhumaine,
Une larme d'un fils peut amollir sa haine.

SÉLEUCUS

Ah ! mon frère, l'amour[4] n'est guère véhément,
730 Pour des fils élevés dans un bannissement,
Et qu'ayant fait nourrir[5] presque dans l'esclavage,

Elle n'a rappelés, que pour servir sa rage.
De ses pleurs tant vantés je découvre le fard[1],
Nous avons en son cœur, vous, et moi, peu de part,
735 Elle fait bien sonner ce grand amour de mère,
Mais elle seule enfin s'aime, et se considère,
Et quoi que nous étale un langage si doux,
Elle a tout fait pour elle, et n'a rien fait pour nous.
Ce n'est qu'un faux amour que la haine domine,
740 Nous ayant embrassés, elle nous assassine,
En veut au cher objet dont nous sommes épris,
Nous demande son sang, met le trône à ce prix !
Ce n'est plus de sa main qu'il nous le faut attendre,
Il est, il est à nous, si nous osons le prendre :
745 Notre révolte ici n'a rien que d'innocent,
Il est à l'un de nous, si l'autre le consent.
Régnons, et son courroux ne sera que faiblesse[2],
C'est l'unique moyen de sauver la Princesse.
Allons la voir, mon frère, et demeurons unis,
750 C'est l'unique moyen de voir nos maux finis.
Je forme un beau dessein que son amour m'inspire,
Mais il faut qu'avec lui notre union conspire[3],
Notre amour aujourd'hui si digne de pitié
Ne saurait triompher que par notre amitié.

ANTIOCHUS

755 Cet avertissement marque une défiance
Que la mienne pour vous souffre avec patience,
Allons, et soyez sûr que même le trépas
Ne peut rompre des nœuds que l'amour ne rompt pas.

FIN DU SECOND ACTE

ACTE III

SCÈNE PREMIÈRE

RODOGUNE, ORONTE, LAONICE

RODOGUNE

Voilà comme[1] l'amour succède à la colère,
760 Comme elle ne me voit qu'avec des yeux de mère,
Comme elle aime la paix, comme elle fait un Roi,
Et comme elle use enfin de ses fils, et de moi.
Et tantôt mes soupçons lui faisaient une offense?
Elle n'avait rien fait qu'en sa juste défense?
765 Lorsque tu la trompais elle fermait les yeux?
Ah, que ma défiance en jugeait beaucoup mieux!
Tu le vois, Laonice.

LAONICE

Et vous voyez, Madame,
Quelle fidélité vous conserve mon âme,
Et qu'ayant reconnu sa haine, et mon erreur,
770 Le cœur gros de soupirs, et frémissant d'horreur,

Je romps une foi due aux secrets de ma Reine,
Et vous viens découvrir mon erreur, et sa haine.

RODOGUNE

Cet avis salutaire est l'unique secours
À qui je crois devoir le reste de mes jours ;
775 Mais ce n'est pas assez de m'avoir avertie,
Il faut de ces périls m'aplanir la sortie,
Il faut que tes conseils m'aident à repousser…

LAONICE

Madame, au nom des Dieux, veuillez m'en dispenser ;
C'est assez que pour vous je lui sois infidèle,
780 Sans m'engager encore à des conseils contre elle.
Oronte est avec vous, qui, comme ambassadeur,
Devait de cet hymen honorer la splendeur ;
Comme c'est en ses mains que le Roi votre frère
A déposé le soin d'une tête si chère,
785 Je vous laisse avec lui pour en délibérer.
Quoi que vous résolviez, laissez-moi l'ignorer.
Au reste, assurez-vous de l'amour des deux Princes,
Plutôt que de vous perdre, ils perdront leurs
                                        [provinces,
Mais je ne réponds pas que ce cœur inhumain
790 Ne veuille à leur refus s'armer d'une autre main.
Je vous parle en tremblant, si j'étais ici vue,
Votre péril croîtrait, et je serais perdue,
Fuyez, grande Princesse, et souffrez cet adieu.

RODOGUNE

Va, je reconnaîtrai ce service en son lieu.

SCÈNE II

RODOGUNE, ORONTE

RODOGUNE

795 Que ferons-nous, Oronte, en ce péril extrême,
Où l'on fait de mon sang le prix d'un diadème ?
Fuirons-nous chez mon frère ? attendrons-nous la
[mort ?
Ou ferons-nous contre elle un généreux effort ?

ORONTE

Notre fuite, Madame, est assez difficile.
800 J'ai vu des gens de guerre épandus par la ville,
Si l'on veut votre perte, on vous fait observer ;
Ou s'il vous est permis encor de vous sauver,
L'avis de Laonice est sans doute une adresse[1],
Feignant de vous servir, elle sert sa maîtresse.
805 La Reine, qui surtout craint de vous voir régner,
Vous donne ces terreurs pour vous faire éloigner,
Et pour rompre un hymen qu'avec peine elle endure,
Elle en veut à vous-même imputer la rupture.
Elle obtiendra par vous le but de ses souhaits,
810 Et vous accusera de violer la paix,
Et le Roi, plus piqué contre vous, que contre elle,
Vous voyant lui porter une guerre nouvelle,
Blâmera vos frayeurs, et nos légèretés
D'avoir osé douter de la foi des traités,
815 Et peut-être pressé des guerres d'Arménie,
Vous laissera moquée[2], et la Reine impunie.
À ces honteux moyens gardez de recourir,

C'est ici qu'il vous faut, ou régner, ou périr.
Le Ciel pour vous ailleurs n'a point fait de couronne,
820 Et l'on s'en rend indigne, alors qu'on l'abandonne.

RODOGUNE

Ah, que de vos conseils j'aimerais la vigueur
Si nous avions la force égale à ce grand cœur[1] !
Mais pourrons-nous braver une Reine en colère,
Avec ce peu de gens que m'a laissés mon frère ?

ORONTE

825 J'aurais perdu l'esprit, si j'osais me vanter
Qu'avec ce peu de gens nous pussions résister.
Nous mourrons à vos pieds, c'est toute l'assistance
Que vous peut en ces lieux offrir notre impuissance.
Mais pouvez-vous trembler, quand dans ces mêmes
[lieux
830 Vous portez le grand maître, et des Rois, et des
[Dieux[2] ?
L'Amour fera lui seul tout ce qu'il vous faut faire.
Faites-vous un rempart des fils, contre la mère,
Ménagez bien leur flamme, ils voudront tout pour
[vous,
Et ces astres naissants sont adorés de tous.
835 Quoi que puisse en ces lieux une Reine cruelle,
Pouvant tout sur ses fils, vous y pouvez plus qu'elle.
Cependant trouvez bon qu'en ces extrémités
Je tâche à rassembler nos Parthes écartés,
Ils sont peu, mais vaillants, et peuvent de sa rage
840 Empêcher la surprise, et le premier outrage.
Craignez moins, et surtout, Madame, en ce grand jour,
Si vous voulez régner, faites régner l'Amour.

adresse
artifie
ruse

SCÈNE III

RODOGUNE

Quoi ! je pourrais descendre à ce lâche artifice
D'aller de mes amants mendier le service,
845 Et sous l'indigne appas[1] d'un coup d'œil affété[2],
J'irais jusqu'en leurs cœurs chercher ma sûreté ?
Celles de ma naissance[3] ont horreur des bassesses,
Leur sang tout généreux hait ces molles[4] adresses ;
Quel que soit le secours qu'ils me puissent offrir,
850 Je croirai faire assez de le daigner souffrir.
Je verrai leur amour, j'éprouverai sa force,
Sans flatter leurs désirs, sans leur jeter d'amorce[5],
Et s'il est assez fort pour me servir d'appui,
Je le ferai régner, mais en régnant sur lui.
855 Sentiments étouffés de colère, et de haine[6],
Rallumez vos flambeaux à celles de la Reine,
Et d'un oubli contraint rompez la dure loi,
Pour rendre enfin justice aux Mânes d'un grand Roi[7].
Rapportez à mes yeux son image sanglante,
860 D'amour et de fureur[8] encore étincelante,
Telle que je le vis, quand tout percé de coups,
Il me cria : « Vengeance. Adieu, je meurs pour vous. »
Chère ombre, hélas ! bien loin de l'avoir poursuivie,
J'allais baiser la main qui t'arracha la vie,
865 Rendre un respect de fille à qui versa ton sang ;
Mais pardonne aux devoirs que m'impose mon rang.
Plus la haute naissance approche des couronnes,
Plus cette grandeur même asservit nos personnes,
Nous n'avons point de cœur pour aimer, ni haïr,

870 Toutes nos passions ne savent qu'obéir.
    Après avoir armé pour venger cet outrage,
    D'une paix mal conçue on m'a faite le gage,
    Et moi, fermant les yeux sur ce noir attentat,
    Je suivais mon destin, en victime d'État.
875 Mais aujourd'hui qu'on voit cette main parricide[1],
    Des restes de ta vie insolemment avide,
    Vouloir encor percer ce sein infortuné,
    Pour y chercher le cœur que tu m'avais donné ;
    De la paix qu'elle rompt je ne suis plus le gage,
880 Je brise avec honneur mon illustre esclavage,
    J'ose reprendre un cœur pour aimer, et haïr,
    Et ce n'est plus qu'à toi que je veux obéir.
        Le consentiras-tu, cet effort sur ma flamme,
    Toi, son vivant portrait, que j'adore dans l'âme,
885 Cher Prince, dont je n'ose en mes plus doux souhaits
    Fier encor le nom[2] aux murs de ce palais ?
    Je sais quelles seront tes douleurs et tes craintes,
    Je vois déjà tes maux, j'entends déjà tes plaintes,
    Mais pardonne aux devoirs qu'exige enfin un Roi
890 À qui tu dois le jour qu'il a perdu pour moi.
    J'aurai mêmes douleurs, j'aurai mêmes alarmes,
    S'il t'en coûte un soupir, j'en verserai des larmes ;
    Mais Dieux ! que je me trouble en les voyant tous
                                                 [deux !
    Amour, qui me confonds[3], cache du moins tes feux,
895 Et content de mon cœur dont je te fais le maître,
    Dans mes regards surpris[4] garde-toi de paraître.

SCÈNE IV

ANTIOCHUS, SÉLEUCUS, RODOGUNE

ANTIOCHUS

Ne vous offensez pas, Princesse, de nous voir
De vos yeux à vous-même expliquer le pouvoir.
Ce n'est pas d'aujourd'hui que nos cœurs en
[soupirent,
900 À vos premiers regards tous deux ils se rendirent,
Mais un profond respect nous fit taire, et brûler,
Et ce même respect nous force de parler.
    L'heureux moment approche, où votre destinée
Semble être aucunement[1] à la nôtre enchaînée,
905 Puisque d'un droit d'aînesse, incertain parmi nous,
La nôtre attend un sceptre, et la vôtre, un époux.
C'est trop d'indignité que notre souveraine
De l'un de ses captifs tienne le nom de Reine,
Notre amour s'en offense, et changeant cette loi
910 Remet à notre Reine à nous choisir un Roi.
Ne vous abaissez plus à suivre la couronne,
Donnez-la, sans souffrir qu'avec elle on vous donne,
Réglez notre destin qu'ont mal réglé les Dieux;
Notre seul droit d'aînesse est de plaire à vos yeux,
915 L'ardeur qu'allume en nous une flamme si pure
Préfère votre choix au choix de la Nature,
Et vient sacrifier à votre élection[2]
Toute notre espérance, et notre ambition.
    Prononcez donc, Madame, et faites un monarque.
920 Nous céderons sans honte à cette illustre marque,
Et celui qui perdra votre divin objet

Demeurera du moins votre premier sujet :
Son amour immortel saura toujours lui dire
Que ce rang près de vous vaut ailleurs un empire,
925 Il y mettra sa gloire, et dans un tel malheur
L'heur[1] de vous obéir flattera sa douleur.

 RODOGUNE

Princes, je dois[2] beaucoup à cette déférence
De votre ambition, et de votre espérance,
Et j'en recevrais l'offre avec quelque plaisir,
930 Si celles de mon rang avaient droit de choisir.
Comme sans leur avis les Rois disposent d'elles,
Pour affermir leur trône, ou finir leurs querelles,
Le destin des États est arbitre du leur,
Et l'ordre des traités règle tout dans leur cœur.
935 C'est lui que suit le mien, et non pas la couronne,
J'aimerai l'un de vous, parce qu'il me l'ordonne,
Du secret révélé j'en prendrai le pouvoir,
Et mon amour, pour naître, attendra mon devoir.
N'attendez rien de plus, ou votre attente est vaine.
940 Le choix que vous m'offrez appartient à la Reine,
J'entreprendrais[3] sur elle à l'accepter de vous.
Peut-être on vous a tu jusqu'où va son courroux,
Mais je dois par épreuve assez bien le connaître
Pour fuir l'occasion de le faire renaître.
945 Que n'en ai-je souffert, et que n'a-t-elle osé ?
Je veux croire avec vous que tout est apaisé,
Mais craignez avec moi que ce choix ne ranime
Cette haine mourante à quelque nouveau crime.
Pardonnez-moi ce mot qui viole un oubli
950 Que la paix entre nous doit avoir établi.
Le feu qui semble éteint souvent dort sous la cendre,
Qui l'ose réveiller peut s'en laisser surprendre,

Et je mériterais qu'il me pût consumer,
Si je lui fournissais de quoi se rallumer.

SÉLEUCUS

955 Pouvez-vous redouter sa haine renaissante,
S'il est en votre main de la rendre impuissante ?
Faites un Roi, Madame, et régnez avec lui.
Son courroux désarmé demeure sans appui,
Et toutes ses fureurs sans effet rallumées
960 Ne pousseront en l'air que de vaines fumées.
Mais a-t-elle intérêt au choix que vous ferez,
Pour en craindre les maux que vous vous figurez ?
La couronne est à nous, et sans lui faire injure,
Sans manquer de respect aux droits de la Nature,
965 Chacun de nous à l'autre en peut céder sa part,
Et rendre à votre choix ce qu'il doit au hasard.
Qu'un si faible scrupule en notre faveur cesse,
Votre inclination vaut bien un droit d'aînesse,
Dont vous seriez traitée avec trop de rigueur,
970 S'il se trouvait contraire aux vœux de votre cœur.
On vous applaudirait quand vous seriez à plaindre,
Pour vous faire régner, ce serait vous contraindre,
Vous donner la couronne en vous tyrannisant,
Et verser du poison sur ce noble présent.
975 Au nom de ce beau feu qui tous deux nous consume,
Princesse, à notre espoir ôtez cette amertume,
Et permettez que l'heur, qui suivra votre époux
Se puisse redoubler, à le tenir de vous.

RODOGUNE

Ce beau feu vous aveugle, autant comme[1] il vous
                                                [brûle,
980 Et tâchant d'avancer, son effort vous recule[2].

Vous croyez que ce choix, que l'un et l'autre attend,
Pourra faire un heureux, sans faire un mécontent,
Et moi, quelque vertu que votre cœur prépare,
Je crains d'en faire deux, si le mien se déclare.
985 Non que de l'un, et l'autre il dédaigne les vœux,
Je tiendrais à bonheur d'être à l'un de vous deux,
Mais souffrez que je suive enfin ce qu'on m'ordonne;
Je me mettrai trop haut, s'il faut que je me donne :
Quoiqu'aisément je cède aux ordres de mon Roi,
990 Il n'est pas bien aisé de m'obtenir de moi.
Savez-vous quels devoirs, quels travaux, quels services[1]
Voudront de mon orgueil exiger les caprices?
Par quels degrés de gloire on me peut mériter?
En quels affreux périls il faudra vous jeter?
995 Ce cœur vous est acquis, après le diadème,
Princes, mais gardez-vous de le rendre à lui-même,
Vous y renoncerez peut-être pour jamais,
Quand je vous aurai dit à quel prix je le mets.

SÉLEUCUS

Quels seront les devoirs, quels travaux, quels services,
1000 Dont nous ne vous fassions d'amoureux sacrifices?
Et quels affreux périls pourrons-nous redouter,
Si c'est par ces degrés[2] qu'on peut vous mériter?

ANTIOCHUS

Princesse, ouvrez ce cœur, et jugez mieux du nôtre,
Jugez mieux du beau feu qui brûle l'un, et l'autre,
1005 Et dites hautement à quel prix votre choix
Veut faire l'un de nous le plus heureux des Rois[3].

RODOGUNE

Prince, le voulez-vous?

ANTIOCHUS

C'est notre unique envie.

RODOGUNE

Je verrai cette ardeur d'un repentir suivie.

SÉLEUCUS

Avant ce repentir, tous deux nous périrons.

RODOGUNE

1010 Enfin vous le voulez ?

SÉLEUCUS

Nous vous en conjurons.

RODOGUNE

Eh bien donc, il est temps de me faire connaître.
J'obéis à mon Roi puisqu'un de vous doit l'être,
Mais quand j'aurai parlé, si vous vous en plaignez[1],
J'atteste tous les Dieux que vous m'y contraignez,
1015 Et que c'est malgré moi, qu'à moi-même rendue,
J'écoute une chaleur[2] qui m'était défendue,
Qu'un devoir rappelé me rend un souvenir
Que la foi des traités ne doit plus retenir.
     Tremblez, Princes, tremblez, au nom de votre père.
1020 Il est mort, et pour moi par les mains d'une mère,
Je l'avais oublié, sujette à d'autres lois,
Mais libre, je lui rends enfin ce que je dois.
C'est à vous de choisir mon amour, ou ma haine,
J'aime les fils du Roi, je hais ceux de la Reine,
1025 Réglez-vous là-dessus, et sans plus me presser[3]
Voyez auquel des deux vous voulez renoncer.
Il faut prendre parti, mon choix suivra le vôtre,

Je respecte autant l'un, que je déteste l'autre,
Mais ce que j'aime en vous du sang de ce grand Roi,
1030 S'il n'est digne de lui, n'est pas digne de moi.
Ce sang que vous portez, ce trône qu'il vous laisse,
Valent bien que pour lui votre cœur s'intéresse,
Votre gloire le veut, l'Amour vous le prescrit ;
Qui[1] peut contre elle et lui soulever votre esprit ?
1035 Si vous leur préférez une mère cruelle,
Soyez cruels, ingrats, parricides comme elle.
Vous devez la punir si vous la condamnez,
Vous devez l'imiter, si vous la soutenez.
Quoi, cette ardeur s'éteint ! l'un et l'autre soupire !
1040 J'avais su le prévoir, j'avais su le prédire...

ANTIOCHUS

Princesse...

RODOGUNE

       Il n'est plus temps, le mot en est lâché,
Quand j'ai voulu me taire, en vain je l'ai tâché.
Appelez ce devoir haine, rigueur, colère,
Pour gagner Rodogune, il faut venger un père,
1045 Je me donne à ce prix. Osez me mériter,
Et voyez qui de vous daignera m'accepter.
Adieu, Princes.

SCÈNE V

ANTIOCHUS, SÉLEUCUS

ANTIOCHUS

Hélas! c'est donc ainsi qu'on traite
Les plus profonds respects d'une amour si parfaite!

SÉLEUCUS

Elle nous fuit, mon frère, après cette rigueur.

ANTIOCHUS

1050 Elle fuit, mais en Parthe[1], en nous perçant le cœur.

SÉLEUCUS

Que le Ciel est injuste! Une âme si cruelle
Méritait notre mère, et devait naître d'elle.

ANTIOCHUS

Plaignons-nous sans blasphème.

SÉLEUCUS

Ah, que vous me gênez[2]
Par cette retenue où vous vous obstinez!
1055 Faut-il encor régner, faut-il l'aimer encore?

ANTIOCHUS

Il faut plus de respect pour celle qu'on adore.

SÉLEUCUS

C'est, ou d'elle, ou du trône être ardemment épris,
Que vouloir, ou l'aimer, ou régner à ce prix.

ANTIOCHUS

C'est, et d'elle, et de lui tenir bien peu de compte,
1060 Que faire une révolte, et si pleine, et si prompte.

SÉLEUCUS

Lorsque l'obéissance a tant d'impiété,
La révolte devient une nécessité.

ANTIOCHUS

La révolte, mon frère, est bien précipitée,
Quand la loi qu'elle rompt peut être rétractée,
1065 Et c'est à nos désirs trop de témérité
De vouloir de tels biens avec facilité.
Le Ciel par les travaux veut qu'on monte à la gloire,
Pour gagner un triomphe, il faut une victoire.
Mais que je tâche en vain de flatter nos tourments !
1070 Nos malheurs sont plus forts que ces déguisements,
Leur excès à mes yeux paraît un noir abîme,
Où la haine s'apprête à couronner le crime,
Où la gloire est sans nom[1], la vertu sans honneur,
Où sans un parricide, il n'est point de bonheur,
1075 Et voyant de ces maux l'épouvantable image,
Je me sens affaiblir, quand je vous encourage,
Je frémis, je chancelle, et mon cœur abattu
Suit tantôt sa douleur, et tantôt sa vertu.
Mon frère, pardonnez à des discours sans suite
1080 Qui font trop voir le trouble où mon âme est réduite.

SÉLEUCUS

J'en ferais comme vous, si mon esprit troublé
Ne secouait le joug dont il est accablé.
Dans mon ambition, dans l'ardeur de ma flamme,
Je vois ce qu'est un trône, et ce qu'est une femme,
1085 Et jugeant par leur prix de leur possession,
J'éteins enfin ma flamme, et mon ambition ;
Et je vous céderais l'un, et l'autre, avec joie,
Si, dans la liberté que le Ciel me renvoie,
La crainte de vous faire un funeste présent
1090 Ne me jetait dans l'âme un remords trop cuisant.
  Dérobons-nous, mon frère, à ces âmes cruelles,
Et laissons-les sans nous achever leurs querelles.

ANTIOCHUS

Comme j'aime beaucoup, j'espère encore un peu,
L'espoir ne peut s'éteindre, où brûle tant de feu,
1095 Et son reste confus me rend quelques lumières,
Pour juger mieux que vous de ces âmes si fières[1].
Croyez-moi, l'une et l'autre a redouté nos pleurs,
Leur fuite à nos soupirs a dérobé leurs cœurs,
Et si tantôt leur haine eût attendu nos larmes,
1100 Leur haine à nos douleurs aurait rendu les armes.

SÉLEUCUS

Pleurez donc à leurs yeux, gémissez, soupirez,
Et je craindrai pour vous ce que vous espérez.
Quoi qu'en votre faveur vos pleurs obtiennent d'elles,
Il vous faudra parer leurs haines mutuelles,
1105 Sauver l'une de l'autre, et peut-être leurs coups,
Vous trouvant au milieu, ne perceront que vous.
C'est ce qu'il faut pleurer. Ni maîtresse, ni mère,
N'ont plus de choix ici, ni de lois à nous faire :

Quoi que leur rage exige, ou de vous, ou de moi,
'110 Rodogune est à vous[1], puisque je vous fais Roi.
Épargnez vos soupirs près de l'une, et de l'autre,
J'ai trouvé mon bonheur, saisissez-vous du vôtre,
Je n'en suis point jaloux, et ma triste amitié
Ne le verra jamais que d'un œil de pitié.

SCÈNE VI

ANTIOCHUS

1115 Que je serais heureux, si je n'aimais un frère !
Lorsqu'il ne veut pas voir le mal qu'il se veut faire,
Mon amitié s'oppose à son aveuglement :
Elle agira pour vous, mon frère, également,
Et n'abusera point de cette violence
1120 Que l'indignation fait à votre espérance.
La pesanteur du coup souvent nous étourdit,
On le croit repoussé, quand il s'approfondit[2],
Et quoi qu'un juste orgueil sur l'heure persuade,
Qui ne sent point son mal est d'autant plus malade,
1125 Ces ombres[3] de santé cachent mille poisons,
Et la mort suit de près ces fausses guérisons.
Daignent les justes Dieux rendre vain ce présage ;
Cependant allons voir si nous vaincrons l'orage,
Et si contre l'effort d'un si puissant courroux
1130 La Nature, et l'Amour voudront parler pour nous.

FIN DU TROISIÈME ACTE

ACTE IV

SCÈNE PREMIÈRE

ANTIOCHUS, RODOGUNE

RODOGUNE

Prince, qu'ai-je entendu ! parce que je soupire,
Vous présumez que j'aime, et vous m'osez le dire !
Est-ce un frère, est-ce vous dont la témérité
S'imagine...[1]

ANTIOCHUS

    Apaisez ce courage[2] irrité,
1135 Princesse, aucun de nous ne serait téméraire
Jusqu'à s'imaginer qu'il eût l'heur de vous plaire,
Je vois votre mérite, et le peu que je vaux,
Et ce rival si cher connaît mieux ses défauts.
Mais si tantôt ce cœur parlait par votre bouche,
1140 Il veut que nous croyions qu'un peu d'amour le
              [touche,
Et qu'il daigne écouter quelques-uns de nos vœux,
Puisqu'il tient à bonheur d'être à l'un de nous deux.

Si c'est présomption de croire ce miracle,
C'est une impiété de douter de l'oracle,
1145 Et mériter les maux où vous nous condamnez,
Qu'éteindre un bel espoir que vous nous ordonnez.
Princesse, au nom des Dieux, au nom de cette
                              [flamme…

RODOGUNE

Un mot ne fait pas voir jusques au fond d'une âme,
Et votre espoir trop prompt prend trop de vanité
1150 Des termes obligeants de ma civilité.
Je l'ai dit, il est vrai, mais quoi qu'il en puisse être,
Méritez cet amour que vous voulez connaître.
Lorsque j'ai soupiré, ce n'était pas pour vous,
J'ai donné ces soupirs aux Mânes d'un époux[1],
1155 Et ce sont les effets du souvenir fidèle
Que sa mort à toute heure en mon âme rappelle.
Prince, soyez ses fils, et prenez son parti.

ANTIOCHUS

Recevez donc son cœur en nous deux réparti.
Ce cœur qu'un saint amour rangea sous votre empire,
1160 Ce cœur pour qui le vôtre à tous moments soupire,
Ce cœur en vous aimant indignement percé
Reprend, pour vous aimer, le sang qu'il a versé,
Il le reprend en nous, il revit, il vous aime,
Et montre, en vous aimant, qu'il est encor le même.
1165 Ah, Princesse, en l'état où le Sort nous a mis
Pouvons-nous mieux montrer que nous sommes ses
                              [fils?

RODOGUNE

Si c'est son cœur en vous qui revit, et qui m'aime,
Faites ce qu'il ferait, s'il vivait en lui-même,
À ce cœur qu'il vous laisse osez prêter un bras.
1170 Pouvez-vous le porter, et ne l'écouter pas ?
S'il vous explique mal ce qu'il en doit attendre,
Il emprunte ma voix pour se mieux faire entendre.
Une seconde fois il vous le dit par moi,
Prince, il faut le venger.

ANTIOCHUS

J'accepte cette loi,
1175 Nommez les assassins et j'y cours.

RODOGUNE

Quel mystère
Vous fait, en l'acceptant, méconnaître[1] une mère ?

ANTIOCHUS

Ah ! si vous ne voulez voir finir nos destins,
Nommez d'autres vengeurs, ou d'autres assassins.

RODOGUNE

Ah ! je vois trop régner son parti dans votre âme,
1180 Prince, vous le prenez.

ANTIOCHUS

Oui, je le prends, Madame,
Et j'apporte à vos pieds le plus pur de son sang,
Que la Nature enferme en ce malheureux flanc.
Satisfaites vous-même à cette voix secrète
Dont la vôtre envers nous daigne être l'interprète,
1185 Exécutez son ordre, et hâtez-vous sur moi

De punir une Reine, et de venger un Roi ;
Mais quitte par ma mort d'un devoir si sévère,
Écoutez-en un autre en faveur de mon frère.
De deux Princes unis[1] à soupirer pour vous
1190 Prenez l'un pour victime, et l'autre pour époux ;
Punissez un des fils des crimes de la mère,
Mais payez l'autre aussi des services du père,
Et laissez un exemple à la postérité
Et de rigueur entière, et d'entière équité[2].
1195 Quoi, n'écouterez-vous ni l'amour, ni la haine ?
Ne pourrai-je obtenir, ni salaire, ni peine ?
Ce cœur qui vous adore, et que vous dédaignez...

RODOGUNE

Hélas, Prince !

ANTIOCHUS

            Est-ce encor le Roi que vous plaignez ?
Ce soupir ne va-t-il que vers l'ombre d'un père ?

RODOGUNE

1200 Allez, ou pour le moins rappelez votre frère[3].
Le combat pour mon âme était moins dangereux
Lorsque je vous avais à combattre tous deux.
Vous êtes plus fort seul, que vous n'étiez ensemble,
Je vous bravais tantôt, et maintenant je tremble.
1205 J'aime, n'abusez pas, Prince, de mon secret,
Au milieu de ma haine il m'échappe à regret,
Mais enfin il m'échappe, et cette retenue
Ne peut plus soutenir l'effort[4] de votre vue ;
Oui, j'aime un de vous deux, malgré ce grand
                                        [courroux,
1210 Et ce dernier soupir dit assez que c'est vous.

Un rigoureux devoir à cet amour s'oppose,
Ne m'en accusez point, vous en êtes la cause,
Vous l'avez fait renaître en me pressant d'un choix
Qui rompt de vos traités les favorables lois.
1215 D'un père mort pour moi voyez le sort étrange[1],
Si vous me laissez libre, il faut que je le venge,
Et mes feux dans mon âme ont beau s'en mutiner,
Ce n'est qu'à ce prix seul que je puis me donner :
Mais ce n'est pas de vous qu'il faut que je l'attende.
1220 Votre refus est juste, autant que ma demande,
À force de respect votre amour s'est trahi,
Je voudrais vous haïr, s'il m'avait obéi,
Et je n'estime pas l'honneur d'une vengeance
Jusqu'à vouloir d'un crime être la récompense.
1225 Rentrons donc sous les lois[2] que m'impose la Paix,
Puisque m'en affranchir, c'est vous perdre à jamais.
Prince, en votre faveur je ne puis davantage.
L'orgueil de ma naissance enfle encor mon courage,
Et quelque grand pouvoir que l'amour ait sur moi,
1230 Je n'oublierai jamais que je me dois un Roi.
Oui, malgré mon amour j'attendrai d'une mère
Que le trône me donne, ou vous, ou votre frère.
Attendant son secret, vous aurez mes désirs,
Et s'il le fait régner, vous aurez mes soupirs ;
1235 C'est tout ce qu'à mes feux ma gloire peut permettre,
Et tout ce qu'à vos feux les miens osent promettre.

ANTIOCHUS

Que voudrais-je de plus ? son bonheur est le mien,
Rendez heureux ce frère, et je ne perdrai rien,
L'amitié le consent, si l'amour l'appréhende,
1240 Je bénirai le Ciel d'une perte si grande,

1275 Votre seule colère a fait notre infortune,
    Nous perdons tout, Madame, en perdant Rodogune,
    Nous l'adorons tous deux ; jugez en quels tourments
    Nous jette la rigueur de vos commandements.
        L'aveu de cet amour sans doute vous offense,
1280 Mais enfin nos malheurs croissent par le silence,
    Et votre cœur qu'aveugle un peu d'inimitié,
    S'il ignore nos maux, n'en peut prendre pitié.
    Au point où je les vois, c'en est le seul remède.

CLÉOPÂTRE

    Quelle aveugle fureur vous-même vous possède ?
1285 Avez-vous oublié que vous parlez à moi,
    Ou si vous présumez être déjà mon Roi ?

ANTIOCHUS

    Je tâche avec respect à vous faire connaître
    Les forces d'un amour que vous avez fait naître.

CLÉOPÂTRE

    Moi ? j'aurais allumé cet insolent amour ?

ANTIOCHUS

1290 Et quel autre prétexte a fait notre retour ?
    Nous avez-vous mandés qu'afin qu'un droit d'aînesse
    Donnât à l'un de nous le trône, et la Princesse ?
    Vous avez bien fait plus, vous nous l'avez fait voir,
    Et c'était par vos mains nous mettre en son pouvoir.
1295 Qui de nous deux, Madame, eût osé s'en défendre,
    Quand vous nous ordonniez à tous deux d'y
                                        [prétendre ?
    Si sa beauté dès lors n'eût allumé nos feux,
    Le devoir auprès d'elle eût attaché nos vœux,

Le désir de régner eût fait la même chose,
1300 Et dans l'ordre des lois que la paix nous impose,
Nous devions aspirer à sa possession
Par amour, par devoir, ou par ambition.
Nous avons donc aimé, nous avons cru vous plaire,
Chacun de nous n'a craint que le bonheur d'un frère,
1305 Et cette crainte enfin cédant à l'amitié,
J'implore pour tous deux un moment de pitié.
Avons-nous dû[1] prévoir cette haine cachée,
Que la foi des traités n'avait point arrachée?

CLÉOPÂTRE

Non, mais vous avez dû garder le souvenir
1310 Des hontes que pour vous j'avais su prévenir,
Et de l'indigne état où votre Rodogune,
Sans moi, sans mon courage, eût mis votre fortune.
Je croyais que vos cœurs sensibles à ces coups
En sauraient conserver un généreux courroux,
315 Et je le retenais avec ma douceur feinte,
Afin que grossissant sous un peu de contrainte,
Ce torrent de colère et de ressentiment
Fût plus impétueux en son débordement.
Je fais plus maintenant, je presse, sollicite,
1320 Je commande, menace, et rien ne vous irrite[2].
Le sceptre, dont ma main vous doit récompenser,
N'a point de quoi vous faire un moment balancer[3],
Vous ne considérez, ni lui, ni mon injure[4],
L'amour étouffe en vous la voix de la Nature,
1325 Et je pourrais aimer des fils dénaturés!

ANTIOCHUS

La Nature et l'Amour ont leurs droits séparés,
L'un n'ôte point à l'autre une âme qu'il possède.

CLÉOPÂTRE

Non, non, où l'Amour règne, il faut que l'autre cède.

ANTIOCHUS

Leurs charmes à nos cœurs sont également doux,
1330 Nous périrons tous deux, s'il faut périr pour vous;
Mais aussi...

CLÉOPÂTRE

Poursuivez, fils ingrat et rebelle.

ANTIOCHUS

Nous périrons tous deux, s'il faut périr pour elle.

CLÉOPÂTRE

Périssez, périssez. Votre rébellion
Mérite plus d'horreur, que de compassion.
1335 Mes yeux sauront le voir sans verser une larme,
Sans regarder en vous, que l'objet qui vous charme[1],
Et je triompherai, voyant périr mes fils,
De ses adorateurs, et de mes ennemis.

ANTIOCHUS

Eh bien triomphez-en, que rien ne vous retienne.
1340 Votre main tremble-t-elle? y voulez-vous la mienne?
Madame, commandez, je suis prêt d'obéir,
Je percerai ce cœur qui vous ose trahir,
Heureux si par ma mort je puis vous satisfaire,
Et noyer dans mon sang toute votre colère.
1345 Mais si la dureté de votre aversion
Nomme encor notre amour une rébellion,
Du moins souvenez-vous qu'elle n'a pris pour armes
Que de faibles soupirs, et d'impuissantes larmes.

CLÉOPÂTRE

Ah, que n'a-t-elle pris, et la flamme, et le fer !
1350 Que bien plus aisément j'en saurais triompher !
Vos larmes dans mon cœur ont trop d'intelligence,
Elles ont presque éteint cette ardeur de vengeance,
Je ne puis refuser des soupirs à vos pleurs,
Je sens que je suis mère auprès de vos douleurs :
1355 C'en est fait, je me rends, et ma colère expire,
Rodogune est à vous aussi bien que l'empire,
Rendez grâces aux Dieux qui vous ont fait l'aîné,
Possédez-la, régnez.

ANTIOCHUS

                    Ô moment fortuné !
Ô trop heureuse fin de l'excès de ma peine !
1360 Je rends grâces aux Dieux qui calment votre haine[1],
Madame, est-il possible ?

CLÉOPÂTRE

                    En vain j'ai résisté,
La Nature est trop forte, et mon cœur s'est dompté.
Je ne vous dis plus rien, vous aimez votre mère[2],
Et votre amour pour moi taira ce qu'il faut taire.

ANTIOCHUS

1365 Quoi ! je triomphe donc sur le point de périr !
La main qui me blessait a daigné me guérir !

CLÉOPÂTRE

Oui, je veux couronner une flamme si belle.
Allez à la Princesse en porter la nouvelle,
Son cœur comme le vôtre en deviendra charmé,
1370 Vous n'aimeriez pas tant, si vous n'étiez aimé.

ANTIOCHUS

Heureux Antiochus ! heureuse Rodogune !
Oui, Madame, entre nous la joie en est commune.

CLÉOPÂTRE

Allez donc, ce qu'ici vous perdez de moments
Sont autant de larcins à vos contentements[1],
1375 Et ce soir destiné pour la cérémonie
Fera voir pleinement si ma haine est finie.

ANTIOCHUS

Et nous vous ferons voir tous nos désirs bornés
À vous donner en nous des sujets couronnés.

SCÈNE IV

CLÉOPÂTRE, LAONICE

LAONICE

Enfin, ce grand courage a vaincu sa colère[2].

CLÉOPÂTRE

1380 Que ne peut point un fils sur le cœur d'une mère ?

LAONICE

Vos pleurs coulent encore, et ce cœur adouci...

CLÉOPÂTRE

Envoyez-moi son frère, et nous laissez ici.
Sa douleur sera grande, à ce que je présume,
Mais j'en saurai sur l'heure adoucir l'amertume.

1385 Ne lui témoignez rien, il lui sera plus doux
    D'apprendre tout de moi, qu'il ne serait de vous.

SCÈNE V

CLÉOPÂTRE

    Que tu pénètres mal le fond de mon courage !
    Si je verse des pleurs, ce sont des pleurs de rage,
    Et ma haine qu'en vain tu crois s'évanouir
1390 Ne les a fait couler, qu'afin de t'éblouir[1],
    Je ne veux plus que moi dedans ma confidence.
    Et toi, crédule amant que charme l'apparence,
    Et dont l'esprit léger s'attache avidement
    Aux attraits captieux de mon déguisement,
1395 Va, triomphe en idée avec ta Rodogune,
    Au sort des immortels préfère ta fortune,
    Tandis que mieux instruite en l'art de me venger
    En de nouveaux malheurs je saurai te plonger.
    Ce n'est pas tout d'un coup que tant d'orgueil
                             [trébuche[2],
1400 De qui se rend trop tôt on doit craindre une embûche,
    Et c'est mal démêler le cœur d'avec le front,
    Que prendre pour sincère un changement si prompt.
    L'effet te fera voir comme je suis changée.

SCÈNE VI

CLÉOPÂTRE, SÉLEUCUS

CLÉOPÂTRE

Savez-vous, Séleucus, que je me suis vengée?

SÉLEUCUS

1405 Pauvre Princesse, hélas!

CLÉOPÂTRE

Vous déplorez son sort;
Quoi, l'aimiez-vous?

SÉLEUCUS

Assez pour regretter sa mort.

CLÉOPÂTRE

Vous lui pouvez servir encor d'amant fidèle.
Si j'ai su me venger, ce n'a pas été d'elle.

SÉLEUCUS

Ô Ciel! et de qui donc, Madame?

CLÉOPÂTRE

C'est de vous,
1410 Ingrat, qui n'aspirez qu'à vous voir son époux,
De vous qui l'adorez en dépit d'une mère,
De vous qui dédaignez de servir ma colère,
De vous de qui l'amour rebelle à mes désirs
S'oppose à ma vengeance, et détruit mes plaisirs.

SÉLEUCUS

1415 De moi !

CLÉOPÂTRE

De toi, perfide. Ignore, dissimule
Le mal que tu dois craindre, et le feu qui te brûle,
Et si pour l'ignorer tu crois t'en garantir,
Du moins en l'apprenant, commence à le sentir.
Le trône était à toi par le droit de naissance,
1420 Rodogune avec lui tombait en ta puissance,
Tu devais l'épouser, tu devais être Roi,
Mais comme ce secret n'est connu que de moi,
Je puis comme je veux tourner le droit d'aînesse,
Et donne à ton rival ton sceptre et ta maîtresse.

SÉLEUCUS

1425 À mon frère ?

CLÉOPÂTRE

C'est lui, que j'ai nommé l'aîné.

SÉLEUCUS

Vous ne m'affligez point de l'avoir couronné,
Et par une raison qui vous est inconnue
Mes propres sentiments vous avaient prévenue[1].
Les biens que vous m'ôtez n'ont point d'attraits si
[doux,
1430 Que mon cœur n'ait donnés à ce frère avant vous[2],
Et si vous bornez là toute votre vengeance,
Vos désirs et les miens seront d'intelligence.

CLÉOPÂTRE

C'est ainsi qu'on déguise un violent dépit,
C'est ainsi qu'une feinte au-dehors l'assoupit,
1435 Et qu'on croit amuser de fausses patiences
Ceux dont en l'âme on craint les justes défiances[1].

SÉLEUCUS

Quoi, je conserverais quelque courroux secret!

CLÉOPÂTRE

Quoi, lâche, tu pourrais la perdre sans regret?
Elle de qui les Dieux te donnaient l'hyménée?
1440 Elle dont tu plaignais la perte imaginée?

SÉLEUCUS

Considérer sa perte avec compassion,
Ce n'est pas aspirer à sa possession.

CLÉOPÂTRE

Que la mort la ravisse, ou qu'un rival l'emporte,
La douleur d'un amant est également forte,
1445 Et tel qui se console après l'instant fatal[2]
Ne saurait voir son bien aux mains de son rival.
Piqué jusques au vif il tâche à le reprendre,
Il fait de[3] l'insensible, afin de mieux surprendre,
D'autant plus animé, que ce qu'il a perdu
1450 Par rang, ou par mérite, à sa flamme était dû.

SÉLEUCUS

Peut-être, mais enfin par quel amour de mère
Pressez-vous tellement ma douleur contre un frère?
Prenez-vous intérêt à la faire éclater?

CLÉOPÂTRE

J'en prends à la connaître, et la faire avorter,
1455 J'en prends à conserver malgré toi mon ouvrage
Des jaloux attentats de ta secrète rage.

SÉLEUCUS

Je le veux croire ainsi, mais quel autre intérêt
Nous fait tous deux aînés, quand, et comme il vous
[plaît ?
Qui des deux vous doit croire, et par quelle justice
1460 Faut-il que sur moi seul tombe tout le supplice,
Et que du même amour, dont nous sommes blessés,
Il soit récompensé, quand vous m'en punissez ?

CLÉOPÂTRE

Comme Reine, à mon choix je fais justice, ou grâce,
Et je m'étonne fort d'où vous vient cette audace,
1465 D'où vient qu'un fils vers moi noirci de trahison
Ose de mes faveurs me demander raison.

SÉLEUCUS

Vous pardonnerez donc ces chaleurs indiscrètes[1].
Je ne suis point jaloux du bien que vous lui faites,
Et je vois quel amour vous avez pour tous deux,
1470 Plus que vous ne pensez, et plus que je ne veux.
Le respect me défend d'en dire davantage.
    Je n'ai, ni faute d'yeux, ni faute de courage[2],
Madame, mais enfin n'espérez voir en moi[3]
Qu'amitié pour mon frère, et zèle pour mon Roi.
1475 Adieu.

SCÈNE VII

CLÉOPÂTRE

De quel malheur suis-je encore capable ?
Leur amour m'offensait, leur amitié m'accable,
Et contre mes fureurs je trouve en mes deux fils
Deux enfants révoltés, et deux rivaux unis.
Quoi, sans émotion perdre trône, et maîtresse !
1480 Quel est ici ton charme, odieuse Princesse ?
Et par quel privilège, allumant de tels feux,
Peux-tu n'en prendre qu'un, et m'ôter tous les deux ?
N'espère pas pourtant triompher de ma haine,
Pour régner sur deux cœurs, tu n'es pas encor Reine.
1485 Je sais bien qu'en l'état où tous deux je les vois
Il me les faut percer, pour aller jusqu'à toi :
Mais n'importe, mes mains sur le père enhardies
Pour un bras refusé sauront prendre deux vies,
Leurs jours également sont pour moi dangereux,
1490 J'ai commencé par lui, j'achèverai par eux.
Sors de mon cœur, Nature, ou fais qu'ils
                              [m'obéissent,
Fais-les servir ma haine, ou consens qu'ils périssent.
Mais déjà l'un a vu que je les veux punir,
Souvent qui tarde trop se laisse prévenir,
1495 Allons chercher le temps d'immoler mes victimes,
Et de me rendre heureuse[1], à force de grands crimes.

FIN DU QUATRIÈME ACTE

ACTE V

SCÈNE PREMIÈRE

CLÉOPÂTRE

Enfin, grâces aux Dieux, j'ai moins d'un ennemi[1],
La mort de Séleucus m'a vengée à demi ;
Son ombre, en attendant Rodogune, et son frère,
1500 Peut déjà de ma part les promettre à son père,
Ils le suivront de près, et j'ai tout préparé
Pour réunir bientôt ce que j'ai séparé.
Ô toi, qui n'attends plus que la cérémonie
Pour jeter à mes pieds ma rivale punie,
1505 Et par qui deux amants vont d'un seul coup du Sort
Recevoir l'hyménée, et le trône, et la mort,
Poison, me sauras-tu rendre mon diadème ?
Le fer m'a bien servie, en feras-tu de même ?
Me seras-tu fidèle ? Et toi, que me veux-tu,
1510 Ridicule retour d'une sotte vertu,
Tendresse dangereuse, autant comme[2] importune ?
Je ne veux point pour fils l'époux de Rodogune,
Et ne vois plus en lui les restes de mon sang,

S'il m'arrache du Trône, et la met en mon rang[1].
1515 Reste du sang ingrat d'un époux infidèle,
Héritier d'une flamme envers moi criminelle,
Aime mon ennemie, et péris comme lui.
Pour la faire tomber, j'abattrai son appui ;
Aussi bien sous mes pas c'est creuser un abîme
1520 Que retenir ma main sur la moitié du crime,
Et te faisant mon Roi, c'est trop me négliger,
Que te laisser sur moi père et frère à venger.
Qui se venge à demi court lui-même à sa peine,
Il faut, ou condamner, ou couronner[2] sa haine.
1525 Dût le peuple en fureur pour ses maîtres nouveaux[3]
De mon sang odieux arroser leurs tombeaux,
Dût le Parthe vengeur me trouver sans défense,
Dût le Ciel égaler le supplice à l'offense,
Trône, à t'abandonner je ne puis consentir.
1530 Par un coup de tonnerre il vaut mieux en sortir,
Il vaut mieux mériter le sort le plus étrange[4] :
Tombe sur moi le Ciel, pourvu que je me venge,
J'en recevrai le coup d'un visage remis[5],
Il est doux de périr après ses ennemis,
1535 Et de quelque rigueur que le Destin me traite,
Je perds moins à mourir, qu'à vivre leur sujette[6].
   Mais voici Laonice, il faut dissimuler
Ce que le seul effet doit bientôt révéler.

SCÈNE II

CLÉOPÂTRE, LAONICE

CLÉOPÂTRE

Viennent-ils, nos amants ?

LAONICE

Ils approchent, Madame.
1540 On lit dessus leur front l'allégresse de l'âme,
L'amour s'y fait paraître avec la majesté,
Et suivant le vieil ordre[1] en Syrie usité,
D'une grâce en tous deux toute auguste, et royale,
Ils viennent prendre ici la coupe nuptiale,
1545 Pour s'en aller au temple, au sortir du palais,
Par les mains du grand Prêtre être unis à jamais.
C'est là qu'il les attend pour bénir l'alliance :
Le peuple tout ravi par ses vœux le devance,
Et pour eux à grands cris demande aux immortels
1550 Tout ce qu'on leur souhaite aux pieds de leurs autels,
Impatient pour eux que la cérémonie
Ne commence bientôt, ne soit bientôt finie.
Les Parthes à la foule[2] aux Syriens mêlés,
Tous nos vieux différends de leur âme exilés,
1555 Font leur suite assez grosse, et d'une voix commune
Bénissent à l'envi le Prince, et Rodogune.
Mais je les vois déjà, Madame, c'est à vous
À commencer ici des spectacles si doux.

SCÈNE III

CLÉOPÂTRE, ANTIOCHUS, RODOGUNE, ORONTE, LAONICE,
TROUPE DE PARTHES ET DE SYRIENS

CLÉOPÂTRE

Approchez, mes enfants (car l'amour maternelle,
1560 Madame, dans mon cœur vous tient déjà pour telle,
Et je crois que ce nom ne vous déplaira pas).

RODOGUNE

Je le chérirai même au-delà du trépas,
Il m'est trop doux, Madame, et tout l'heur que
[j'espère,
C'est de vous obéir et respecter en mère.

CLÉOPÂTRE

1565 Aimez-moi seulement, vous allez être Rois,
Et s'il faut du respect, c'est moi qui vous le dois

ANTIOCHUS

Ah, si nous recevons la suprême puissance,
Ce n'est pas pour sortir de votre obéissance[1].
Vous régnerez ici, quand nous y régnerons,
1570 Et ce seront vos lois que nous y donnerons.

CLÉOPÂTRE

J'ose le croire ainsi, mais prenez votre place,
Il est temps d'avancer[2] ce qu'il faut que je fasse.

> *Ici Antiochus s'assied dans un fauteuil.*
> *Rodogune à sa gauche en même rang, et Cléo-*
> *pâtre à sa droite, mais en rang inférieur, et*
> *qui marque quelque inégalité. Oronte s'assied*
> *aussi à la gauche de Rodogune avec la même*
> *différence, et Cléopâtre cependant qu'ils pren-*
> *nent leurs places parle à l'oreille de Laonice,*
> *qui s'en va quérir une coupe pleine de vin*
> *empoisonné. Après qu'elle est partie, Cléopâtre*
> *continue :*

Peuple qui m'écoutez, Parthes et Syriens,
Sujets du Roi son frère[1], ou qui fûtes[2] les miens,
1575 Voici de mes deux fils celui qu'un droit d'aînesse
Élève dans le trône, et donne à la Princesse.
Je lui rends cet État que j'ai sauvé pour lui,
Je cesse de régner, il commence aujourd'hui.
Qu'on ne me traite plus ici de[3] Souveraine,
1580 Voici votre Roi, Peuple, et voilà votre Reine[4].
Vivez pour les servir, respectez-les tous deux,
Aimez-les, et mourez, s'il est besoin, pour eux.
  Oronte, vous voyez avec quelle franchise
Je leur rends ce pouvoir, dont je me suis démise ;
1585 Prêtez les yeux au reste, et voyez les effets
Suivre de point en point les traités de la paix.

> *Laonice revient avec une coupe à la main.*

ORONTE

Votre sincérité s'y fait assez paraître,
Madame, et j'en ferai récit au Roi mon maître.

Rodogune

CLÉOPÂTRE

L'hymen est maintenant notre plus cher souci.
1590 L'usage veut, mon fils, qu'on le commence ici.
Recevez de ma main la coupe nuptiale,
Pour être après unis sous la foi conjugale ;
Puisse-t-elle être un gage envers votre moitié
De votre amour ensemble, et[1] de mon amitié.

ANTIOCHUS, *prenant la coupe.*

1595 Ciel, que ne dois-je point aux bontés d'une mère.

CLÉOPÂTRE

Le temps presse, et votre heur d'autant plus se diffère.

ANTIOCHUS, *à Rodogune.*

Madame, hâtons donc ces glorieux moments.
Voici l'heureux essai de nos contentements.
Mais si mon frère était le témoin de ma joie...

CLÉOPÂTRE

1600 C'est être trop cruel, de vouloir qu'il la voie,
Ce sont des déplaisirs qu'il fait bien d'épargner,
Et sa douleur secrète a droit de l'éloigner.

ANTIOCHUS

Il m'avait assuré qu'il la verrait sans peine,
Mais n'importe, achevons.

SCÈNE IV

CLÉOPÂTRE, ANTIOCHUS, RODOGUNE, ORONTE,
TIMAGÈNE, LAONICE, TROUPE

TIMAGÈNE

Ah, Seigneur.

CLÉOPÂTRE

Timagène,

1605 Quelle est votre insolence ?

TIMAGÈNE

Ah, Madame.

ANTIOCHUS, *rendant la coupe à Laonice.*

Parlez.

TIMAGÈNE

Souffrez pour un moment que mes sens rappelés[1]…

ANTIOCHUS

Qu'est-il donc arrivé ?

TIMAGÈNE

Le Prince votre frère…

ANTIOCHUS

Quoi, se voudrait-il rendre à mon bonheur contraire[2] ?

TIMAGÈNE

L'ayant cherché longtemps, afin de divertir[1]
1610 L'ennui[2] que de sa perte il pouvait ressentir,
Je l'ai trouvé, Seigneur, au bout de cette allée
Où la clarté du Ciel semble toujours voilée.
Sur un lit de gazon de faiblesse étendu
Il semblait déplorer ce qu'il avait perdu[3],
1615 Son âme à ce penser paraissait attachée,
Sa tête sur un bras languissamment penchée,
Immobile, et rêveur en malheureux amant...

ANTIOCHUS

Enfin, que faisait-il, achevez promptement.

TIMAGÈNE

D'une profonde plaie en l'estomac ouverte
1620 Son sang à gros bouillons sur cette couche verte...

CLÉOPÂTRE

Il est mort !

TIMAGÈNE

Oui, Madame.

CLÉOPÂTRE

Ah, Destins ennemis
Qui m'enviez le bien que je m'étais promis !
Voilà le coup fatal que je craignais dans l'âme[4],
Voilà le désespoir où l'a réduit sa flamme,
1625 Pour vivre en vous perdant il avait trop d'amour,
Madame, et de sa main il s'est privé du jour[5].

TIMAGÈNE, *à Cléopâtre.*

Madame, il a parlé, sa main est innocente.

CLÉOPÂTRE, *à Timagène.*

La tienne est donc coupable, et ta rage insolente
Par une lâcheté qu'on ne peut égaler,
1630 L'ayant assassiné, le fait encor parler.

ANTIOCHUS

Timagène, souffrez la douleur d'une mère
Et les premiers soupçons d'une aveugle colère.
Comme ce coup fatal n'a point d'autres témoins[1],
J'en ferais autant qu'elle, à vous connaître moins.
1635 Mais que vous a-t-il dit ? achevez, je vous prie.

TIMAGÈNE

Surpris d'un tel spectacle à l'instant je m'écrie,
Et soudain à mes cris ce Prince en soupirant
Avec assez de peine entrouvre un œil mourant,
Et ce reste égaré de lumière incertaine
1640 Lui peignant son cher frère au lieu de Timagène,
Rempli de votre idée[2], il m'adresse pour vous
Ces mots, où l'amitié règne sur le courroux :
            « Une main qui nous fut bien chère
Venge ainsi le refus d'un coup trop inhumain,
1645   Régnez, et surtout, mon cher frère,
            Gardez-vous de la même main.
C'est... » La Parque à ce mot lui coupe la parole,
Sa lumière[3] s'éteint, et son âme s'envole,
Et moi, tout effrayé d'un si tragique sort,
1650 J'accours pour vous en faire un funeste rapport.

ANTIOCHUS

Rapport vraiment funeste, et sort vraiment tragique,
Qui va changer en pleurs l'allégresse publique.
Ô frère plus aimé que la clarté du jour,
Ô rival aussi cher que m'était mon amour,
1655 Je te perds, et je trouve[1] en ma douleur extrême
Un malheur dans ta mort, plus grand que ta mort
                                                    [même.
Ô de ses derniers mots fatale obscurité,
En quel gouffre d'horreurs m'as-tu précipité ?
Quand j'y pense chercher la main qui l'assassine,
1660 Je m'impute à forfait[2] tout ce que j'imagine,
Mais aux marques enfin que tu m'en viens donner,
Fatale obscurité, qui dois-je en soupçonner ?
        « Une main qui nous fut bien chère »,
Madame, est-ce la vôtre, ou celle de ma mère ?
1665 Vous vouliez toutes deux un coup trop inhumain,
Nous vous avons tous deux refusé notre main,
Qui de vous s'est vengée ? est-ce l'une, est-ce l'autre,
Qui fait agir la sienne au refus de la nôtre ?
Est-ce vous qu'en coupable il me faut regarder ?
1670 Est-ce vous désormais dont je me dois garder ?

CLÉOPÂTRE

Quoi, vous me soupçonnez !

RODOGUNE

                Quoi, je vous suis suspecte !

ANTIOCHUS

Je suis amant, et fils, je vous aime, et respecte,
Mais quoi que sur mon cœur puissent des noms si
                                                    [doux,

À ces marques enfin je ne connais que vous.
1675 As-tu bien entendu ? dis-tu vrai, Timagène ?

TIMAGÈNE

Avant qu'en soupçonner la Princesse, ou la Reine[1],
Je mourrais mille fois, mais enfin mon récit
Contient, sans rien de plus[2], ce que le Prince a dit.

ANTIOCHUS

D'un et d'autre côté l'action est si noire,
1680 Que n'en pouvant douter, je n'ose encor la croire.
    Ô quiconque des deux avez versé son sang,
Ne vous préparez plus à me percer le flanc,
Nous avons mal servi vos haines mutuelles,
Aux jours l'une de l'autre également cruelles,
1685 Mais si j'ai refusé ce détestable emploi,
Je veux bien vous servir toutes deux contre moi.
Qui que vous soyez donc, recevez une vie
Que déjà vos fureurs m'ont à demi ravie[3].

RODOGUNE

Ah, Seigneur, arrêtez.

TIMAGÈNE

                    Seigneur, que faites-vous ?

ANTIOCHUS

1690 Je sers, ou l'une, ou l'autre, et je préviens ses coups.

CLÉOPÂTRE

Vivez, régnez heureux.

ANTIOCHUS

        Ôtez-moi donc de doute,
Et montrez-moi la main qu'il faut que je redoute,
Qui pour m'assassiner ose me secourir,
Et me sauve de moi pour me faire périr.
1695 Puis-je vivre, et traîner cette gêne[1] éternelle,
Confondre l'innocente avec la criminelle,
Vivre, et ne pouvoir plus[2] vous voir sans m'alarmer,
Vous craindre toutes deux, toutes deux vous aimer ?
Vivre avec ce tourment, c'est mourir à toute heure,
1700 Tirez-moi de ce trouble, ou souffrez que je meure,
Et que mon déplaisir[3] par un coup généreux
Épargne un parricide[4] à l'une de vous deux.

CLÉOPÂTRE

Puisque le même jour que ma main vous couronne
Je perds un de mes fils, et l'autre me soupçonne,
1705 Qu'au milieu de mes pleurs, qu'il devrait essuyer,
Son peu d'amour me force à me justifier,
Si vous n'en pouvez mieux consoler une mère,
Qu'en la traitant d'égale avec une étrangère,
Je vous dirai, Seigneur (car ce n'est plus à moi
1710 À nommer autrement, et mon juge, et mon Roi),
Que vous voyez l'effet de cette vieille haine
Qu'en dépit de la paix me garde l'inhumaine,
Qu'en son cœur du passé soutient le souvenir,
Et que j'avais raison de vouloir prévenir.
1715 Elle a soif de mon sang, elle a voulu l'épandre,
J'ai prévu d'assez loin ce que j'en viens d'apprendre,
Mais je vous ai laissé désarmer mon courroux.

À Rodogune.

Sur la foi de ses pleurs je n'ai rien craint de vous,
Madame, mais ô Dieux ! quelle rage est la vôtre !
1720 Quand je vous donne un fils, vous assassinez l'autre,
Et m'enviez soudain l'unique et faible appui
Qu'une mère opprimée eût pu trouver en lui.
Quand vous m'accablerez, où sera mon refuge ?
Si je m'en plains au Roi, vous possédez[1] mon juge,
1725 Et s'il m'ose écouter, peut-être, hélas ! en vain
Il voudra se garder de cette même main.
Enfin je suis leur mère, et vous leur ennemie,
J'ai recherché leur gloire, et vous leur infamie,
Et si je n'eusse aimé ces fils que vous m'ôtez,
1730 Votre abord en ces lieux les eût déshérités.
C'est à lui maintenant, en cette concurrence,
À régler ses soupçons sur cette différence,
À voir de qui des deux il doit se défier,
Si vous n'avez un charme[2] à vous justifier.

RODOGUNE, *à Cléopâtre.*

1735 Je me défendrai mal. L'innocence étonnée[3]
Ne peut s'imaginer qu'elle soit soupçonnée,
Et n'ayant rien prévu d'un attentat si grand,
Qui l'en veut accuser, sans peine la surprend.
Je ne m'étonne point de voir que votre haine
1740 Pour me faire coupable a quitté Timagène :
Au moindre jour ouvert[4] de tout jeter sur moi,
Son récit s'est trouvé digne de votre foi.
Vous l'accusiez pourtant, quand votre âme alarmée
Craignait qu'en expirant ce fils vous eût nommée ;
1745 Mais de ses derniers mots voyant le sens douteux
Vous avez pris soudain le crime entre nous deux.
Certes si vous voulez passer pour[5] véritable
Que l'une de nous deux de sa mort soit coupable,

Je veux bien par respect ne vous imputer rien ;
1750 Mais votre bras au crime est plus fait que le mien,
Et qui sur un époux fit son apprentissage
A bien pu sur un fils achever son ouvrage.
Je ne dénierai point, puisque vous les savez,
De justes sentiments dans mon âme élevés.
1755 Vous demandiez mon sang, j'ai demandé le vôtre ;
Le Roi sait quels motifs ont poussé l'une et l'autre,
Comme par sa prudence il a tout adouci,
Il vous connaît peut-être, et me connaît aussi.

À Antiochus.

Seigneur, c'est un moyen de vous être bien chère
1760 Que pour don nuptial vous immoler un frère :
On fait plus, on m'impute un coup si plein d'horreur,
Pour me faire un passage[1] à vous percer le cœur.

À Cléopâtre.

Où fuirais-je de vous après tant de furie,
Madame, et que ferait toute votre Syrie,
1765 Où seule et sans appui contre mes attentats[2],
Je verrais... Mais, Seigneur, vous ne m'écoutez pas !

ANTIOCHUS

Non, je n'écoute rien, et dans la mort d'un frère
Je ne veux point juger entre vous, et ma mère :
Assassinez un fils, massacrez un époux,
1770 Je ne veux me garder, ni d'elle, ni de vous[3].
Suivons aveuglément ma triste destinée,
Pour m'exposer à tout achevons l'hyménée.
Cher frère, c'est pour moi le chemin du trépas,
La main qui t'a percé ne m'épargnera pas,
1775 Je cherche à te rejoindre, et non à m'en défendre,

Et lui veux bien donner tout lieu de me surprendre.
Heureux, si sa fureur qui me prive de toi
Se fait bientôt connaître, en achevant sur moi,
Et si du Ciel trop lent à la réduire en poudre[1]
1780 Son crime redoublé peut arracher la foudre.
Donnez-moi…

    RODOGUNE, *l'empêchant de prendre la coupe.*

      Quoi, Seigneur?

    ANTIOCHUS

             Vous m'arrêtez en vain,
Donnez.

    RODOGUNE

      Ah! gardez-vous de l'une, et l'autre main.
Cette coupe est suspecte, elle vient de la Reine,
Craignez de toutes deux quelque secrète haine.

    CLÉOPÂTRE

1785 Qui m'épargnait tantôt ose enfin m'accuser.

    RODOGUNE

De toutes deux, Madame, il doit tout refuser.
Je n'accuse personne, et vous tiens innocente,
Mais il en faut sur l'heure une preuve évidente,
Je veux bien à mon tour subir les mêmes lois,
1790 On ne peut craindre trop pour le salut des Rois.
Donnez donc cette preuve, et pour toute réplique,
Faites faire un essai par quelque domestique[2].

CLÉOPÂTRE, *prenant la coupe.*

Je le ferai moi-même. Eh bien, redoutez-vous
Quelque sinistre effort encor de mon courroux ?
1795 J'ai souffert cet outrage avecque patience.

ANTIOCHUS, *prenant la coupe de la main de Cléopâtre*
après qu'elle a bu.

Pardonnez-lui, Madame, un peu de défiance,
Comme vous l'accusez, elle fait son effort
À rejeter sur vous l'horreur de cette mort,
Et soit amour pour moi, soit adresse pour elle,
1800 Ce soin la fait paraître un peu moins criminelle.
Pour moi, qui ne vois rien, dans le trouble où je suis,
Qu'un gouffre de malheurs, qu'un abîme d'ennuis[1],
Attendant qu'en plein jour ces vérités paraissent,
J'en laisse la vengeance aux Dieux qui les connaissent,
1805 Et vais sans plus tarder...

RODOGUNE

                         Seigneur, voyez ses yeux
Déjà tout[2] égarés, troubles, et furieux,
Cette affreuse sueur qui court sur son visage,
Cette gorge qui s'enfle. Ah, bons Dieux, quelle rage !
Pour vous perdre après elle, elle a voulu périr.

ANTIOCHUS, *rendant la coupe à Laonice*
ou à quelque autre.

1810 N'importe, elle est ma mère, il faut la secourir.

CLÉOPÂTRE

Va, tu me veux en vain rappeler à la vie,
Ma haine est trop fidèle, et m'a trop bien servie,

Elle a paru trop tôt pour te perdre avec moi,
C'est le seul déplaisir qu'en mourant je reçois ;
1815 Mais j'ai cette douceur dedans cette disgrâce
De ne voir point régner ma rivale en ma place.
    Règne, de crime en crime[1] enfin te voilà Roi :
Je t'ai défait d'un père, et d'un frère, et de moi.
Puisse le Ciel tous deux vous prendre pour victimes,
1820 Et laisser choir sur vous les peines de mes crimes,
Puissiez-vous ne trouver dedans votre union
Qu'horreur, que jalousie, et que confusion,
Et pour vous souhaiter tous les malheurs ensemble,
Puisse naître de vous un fils qui me ressemble.

ANTIOCHUS

1825 Ah, vivez pour changer cette haine en amour.

CLÉOPÂTRE

Je maudirais les Dieux s'ils me rendaient le jour.
Qu'on m'emporte d'ici. Je me meurs, Laonice,
Si tu veux m'obliger par un dernier service,
Après les vains efforts de mes inimitiés,
1830 Sauve-moi de l'affront de tomber à leurs pieds.

Elle s'en va, et Laonice lui aide à marcher.

ORONTE

Dans les justes rigueurs d'un sort si déplorable[2],
Seigneur, le juste Ciel vous est bien favorable.
Il vous a préservé sur le point de périr
Du danger le plus grand que vous puissiez courir,
1835 Et par un digne effet de ses faveurs puissantes
La coupable est punie, et vos mains innocentes.

ANTIOCHUS

Oronte, je ne sais dans son funeste sort
Qui[1] m'afflige le plus, ou sa vie, ou sa mort,
L'une et l'autre a pour moi des malheurs sans
                                    [exemple,
1840 Plaignez mon infortune. Et vous, allez au temple
Y changer l'allégresse en un deuil sans pareil,
La pompe nuptiale en funèbre appareil,
Et nous verrons après, par d'autres sacrifices,
Si les Dieux voudront être à nos vœux plus propices.

FIN DU CINQUIÈME ET DERNIER ACTE

DOSSIER

CHRONOLOGIE

1606-1684

1606. *6 juin* : naissance à Rouen, rue de la Pie, de Pierre Corneille, aîné de six enfants (dont Thomas, né en 1625, qui deviendra un des grands dramaturges du siècle, et Marthe, la future mère de Fontenelle). La famille est de bonne bourgeoisie provinciale : le père, Pierre, est maître des Eaux et Forêts, la mère, Marthe Le Pesant, fille d'un avocat rouennais.

1615-1622. Études au collège des Jésuites de Rouen. Formation intellectuelle décisive (latin, rhétorique, poésie, théâtre). Corneille y subit une influence prépondérante de la part de certains de ses maîtres, notamment du père Claude Delidel, auprès de qui il trouve à la fois une formation du goût et une direction spirituelle.

1622-1629. Corneille passe sa licence en droit et devient avocat. En 1628, son père lui achète deux offices d'avocat du roi aux Eaux et Forêts et à l'Amirauté de France. C'est dans ces années-là qu'il écrit ses premiers vers, dont une part sera publiée en 1632 dans des *Mélanges poétiques*, et qu'il vit sa première aventure sentimentale avec la fille d'un maître des comptes de Rouen, Catherine Hue, ce qui lui inspire sa première comédie, *Mélite*.

1629. La troupe de Charles Le Noir, qui compte dans ses rangs le célèbre Mondory, passe par Rouen. Sans doute est-ce à cette occasion que Corneille lui confie la pièce qu'il vient d'écrire. La troupe, venant s'installer à Paris, crée *Mélite* au jeu de paume de Berthault durant la saison 1629-1630. La comédie, après trois premières représentations médiocres, obtient un succès éclatant, qui favorise l'implantation parisienne de la troupe et attire aussitôt l'attention sur l'auteur.

1630-1631. *Clitandre*, tragi-comédie. La pièce sera publiée en 1632 avec les *Mélanges poétiques*.

1631-1632. *La Veuve*, comédie.

1632-1633. *La Galerie du Palais*, comédie, puis *La Suivante*, comédie.

1633-1634. *La Place Royale*, comédie. La troupe de Le Noir, après être passée par plusieurs jeux de paume, s'installe dans celui du Marais, rue Vieille du Temple, qui devient son théâtre propre.

1634-1635. *Médée*, tragédie. Les préoccupations théoriques de Corneille se marquent dans un texte, l'*Excusatio*, publié en août 1635 au sein d'un recueil collectif.

1635. Richelieu, grand amateur de théâtre, forme le groupe des Cinq : Corneille, Rotrou, L'Étoile, Boisrobert et Colletet. Sur un thème fourni par le Cardinal, les cinq auteurs donnent *La Comédie des Tuileries*.

1635-1636. *L'Illusion comique*, comédie. Vers cette date, Catherine Hue, le premier amour de Corneille, épouse Thomas Dupont, correcteur à la Chambre des Comptes. Le mariage a été imposé par la famille.

1637. *Début janvier* : *Le Cid*, tragi-comédie. Le succès est immédiat et triomphal.

8 janvier : *La Grande Pastorale*, par le groupe des Cinq, jouée à l'hôtel de Richelieu.

27 janvier : le père de Corneille reçoit ses lettres de noblesse.

20 février (?) : publication, ou circulation en manuscrit, de l'*Excuse à Ariste*, où Corneille affirme avec hauteur son génie dramatique : «Je ne dois qu'à moi seul toute ma renommée… »

22 février : représentation de *L'Aveugle de Smyrne*, tragi-comédie des Cinq, sur un nouvel argument fourni par le Cardinal. Corneille n'y a peut-être pas participé.

23 mars : publication du *Cid*. La dédicace est à Mme de Combalet, la nièce de Richelieu.

Mars-décembre : lancée par Mairet et Scudéry, la Querelle

du *Cid* donne lieu à une multitude de publications et aboutit en décembre aux *Sentiments de l'Académie*, auxquels, sur la recommandation de Richelieu, Corneille ne répond pas.

1638-1639. Silence de Corneille, suite à la Querelle du *Cid* et peut-être aussi à des problèmes d'ordre privé (défense de sa charge d'avocat du roi face à la création d'un office rival, succession de son père).

1639. *12 février* : mort du père de Corneille. Celui-ci devient tuteur de ses frères et sœurs.

1640. *19 mai* : première publique d'*Horace*, tragédie. Corneille a soumis auparavant sa pièce à un comité de doctes et l'a fait représenter chez Richelieu.

1641. Corneille épouse Marie de Lampérière, fille du lieutenant particulier des Andelys, de onze ans sa cadette.

1642. *10 janvier* : baptême de Marie, premier enfant du couple.
Avant l'été : *Cinna*, tragédie.
4 décembre : mort de Richelieu.

1642-1643. *Polyeucte martyr*, tragédie chrétienne.

1643. *14 mai* : mort de Louis XIII.
7 septembre : baptême de Pierre, deuxième enfant de Corneille.
Automne : gratification de 2 000 livres accordée par Mazarin, que Corneille remercie par une pièce de vers.

1643-1644. *La Mort de Pompée*, tragédie, et *Le Menteur*, comédie.

1644. Première publication collective des *Œuvres de Corneille* antérieures au *Cid*. Le théâtre du Marais brûle. Reconstruit et modernisé, il ouvre à nouveau ses portes en octobre.

1644-1645. *La Suite du Menteur*, comédie, et *Rodogune, princesse des Parthes*, tragédie.

1645-1646. *Théodore, vierge et martyre*, tragédie chrétienne. Naissance du troisième enfant de Corneille, François.

1646-1647. *Héraclius*, tragédie.

1647. *22 janvier* : Corneille, après deux échecs, est élu à l'Académie française. Mazarin lui commande une tragédie à musique, *Andromède*.
Floridor quittant le Marais pour l'Hôtel de Bourgogne, Corneille le suit et se sépare de la troupe qui a jusquelà créé ses pièces.

1648. Début de la Fronde. Second tome des *Œuvres*, du *Cid* à *La Suite du Menteur*.

1650. *Janvier*: *Andromède*, tragédie à machines, jouée dans la salle du Petit-Bourbon, et (peut-être dès fin 1648 ou 1649) *Don Sanche d'Aragon*, comédie héroïque, qui pâtit des circonstances (on est en pleine Fronde).

    5 juillet: mariage de Thomas Corneille avec Marguerite de Lampérière, sœur de Marie et belle-sœur de Corneille. Naissance du quatrième enfant, Marguerite. Corneille vend ses charges d'avocat du roi.

1651. *Février*: *Nicomède*, tragédie.

    Corneille perd sa charge de procureur et se retrouve sans charges officielles.

1651-1652. *Pertharite*, tragédie. L'échec de la pièce pousse Corneille à renoncer au théâtre. Il commence à traduire en vers *L'Imitation de Jésus-Christ* de Thomas a Kempis (xvᵉ siècle), dont les deux premiers livres paraissent en juin 1653, le troisième livre en 1654, et la traduction complète en mars 1656.

    Troisième tome des *Œuvres* (*Théodore*, *Rodogune*, *Héraclius*), qui sera augmenté en 1654 des quatre pièces suivantes.

1652 (ou 1653). Naissance de son cinquième enfant, Charles.

1655. Naissance de son sixième enfant, Madeleine.

1656. Naissance de son septième et dernier enfant, Thomas.

1658. Mort de sa mère.

1659. *24 janvier*: *Œdipe*, tragédie, sur un sujet proposé par le surintendant Foucquet; très gros succès.

1660. *31 octobre*: achevé d'imprimer du *Théâtre de Corneille revu et corrigé par l'auteur*, en 3 volumes. Chaque volume est précédé d'un discours (*Du poème dramatique*, *De la tragédie*, *Des trois unités*) et des *Examens* des pièces.

1661. *Février*: *La Toison d'or*, tragédie à machines, donnée au Marais, que Corneille avait quitté depuis 1647. Très grand succès.

    9 mars: mort de Mazarin. Début du règne personnel de Louis XIV.

1662. *25 février*: *Sertorius*, tragédie, représentée également par la troupe du Marais.

    Octobre: installation à Paris avec son frère Thomas.

1663. *Janvier*: *Sophonisbe*, tragédie, donnée à l'Hôtel de Bourgogne. Querelle à propos de la pièce avec l'abbé d'Aubignac. Cette même année, les frères Corneille sont
impliqués dans la querelle de *L'École des femmes*, contre
Molière. En juin, premières gratifications accordées par
le roi aux gens de lettres : Corneille obtient 2 000 livres,
qui lui seront versées annuellement jusqu'en 1674.
Luxueuse édition de son *Théâtre* en deux volumes *in-folio*.

1664. *Othon*, tragédie. Première pièce de Racine, *La Thébaïde*,
peu remarquée, mais suivie en 1665 d'*Alexandre*, qui
obtient un grand succès.

1666. *Février*: *Agésilas*, tragédie. Échec.

1667. *Attila*, tragédie, créée par la troupe de Molière. Dans la
querelle sur la moralité du théâtre, Corneille prend
position contre les jansénistes.

1669. Dans la querelle du merveilleux chrétien ou païen, Corneille prend position pour les Anciens. Il publie sa traduction en vers et en prose de *L'Office de la Sainte Vierge*.

1670. *Novembre*: le 21, première de *Bérénice* de Racine à l'Hôtel de Bourgogne; le 28, première de *Tite et Bérénice*,
comédie héroïque, de Corneille, par la troupe de
Molière. La pièce de Racine l'emporte assez vite dans la
faveur du public.

1671. *16 janvier*: première dans la salle des machines des Tuileries de *Psyché*, tragédie-ballet, pour laquelle Corneille
a répondu à l'invitation de Molière qui, pris par le
temps, lui a demandé de versifier une partie importante
de la pièce.

1672. *Novembre*: *Pulchérie*, comédie héroïque, au Marais.

1673. *17 février*: mort de Molière, qui va entraîner un regrou-
pement des troupes théâtrales.

1674. *Septembre*: mort du second fils de Corneille, tué en
Hollande.
Novembre ou décembre: *Suréna*, tragédie, à l'Hôtel de Bour-
gogne. C'est la dernière pièce de Corneille.

1682. Parution de la dernière édition de son *Théâtre* revue par
ses soins, en 4 volumes.

1684. *1er octobre*: mort de Pierre Corneille.

1685. *2 janvier*: Thomas Corneille est élu à l'Académie au fauteuil de son frère. Il y est reçu par Racine, qui prononce
un vibrant éloge de son rival.

NOTICE

Corneille s'est rarement montré aussi empressé à présenter ses sources et à les justifier que pour *Rodogune*. L'Avertissement qui précède le texte dans les premières éditions de la pièce est pour la majeure partie consacré au détail des ouvrages historiques d'où il a tiré son sujet, et l'Examen qui lui succède à partir de 1660 en reprend l'essentiel. C'est dire que la question présente, aux yeux mêmes de l'auteur, une importance particulière. Or, à y regarder de près, les références fournies, pour nombreuses et détaillées qu'elles soient, prouvent certes que Corneille a tiré son sujet de l'Histoire, mais elles prouvent tout autant qu'il a traité celle-ci largement à sa guise.

Des quatre sources évoquées, trois relèvent d'ouvrages historiques, et la quatrième de la Bible. La source première, qui fournit d'ailleurs le titre de l'Avertissement, est constituée par *Le Livre des Guerres de Syrie* d'Appien, un historien grec d'Alexandrie, qui vivait sous le règne de Marc-Aurèle, et dont l'*Histoire romaine* en 24 livres est en grande partie perdue, à la réserve du livre XI, consacré précisément aux guerres syriaques. C'est là, aux chapitres 47-49, qu'il peut lire l'histoire de Démétrius Nicanor, roi de Syrie, en guerre contre le roi des Parthes Phraates, fait prisonnier par celui-ci, et épousant sa sœur Rodogune. Pendant ce temps, après que le pouvoir a été pris en Syrie par un usurpateur, Tryphon, celui-ci est défait par Antiochus, le frère de Nicanor, qui épouse Cléopâtre, la femme de son frère, avant de mourir au combat contre les Parthes. Lorsque Nicanor revient en Syrie, sa femme Cléopâtre le tue par haine de Rodogune, sa seconde épouse, et elle se débarrasse aussi de son premier fils Séleucus qui avait pris le pouvoir, avant qu'Antiochus, son second fils, qu'elle se préparait à empoisonner, ne la force à boire le poison avant lui.

Cette histoire avait été traduite à la fin du XVIe siècle, mais Corneille prend soin d'en proposer une traduction personnelle. Il y a là un souci de précision qui se conçoit d'autant mieux que, présentés dans les termes où il les expose, les événements rapportés par Appien lui offrent la trame assez précise de son intrigue. Deux éléments, toutefois, et non des moindres, y font défaut, et aucune des trois autres sources mentionnées n'y fait non plus allusion : l'amour des princes héritiers pour leur belle-mère Rodogune, et la qualité particulière de leur fraternité qui devient, chez Corneille, une gémellité. Or ces deux points sont évidemment essentiels à l'intrigue, à la fois pour tout ce qui touche à l'enjeu de pouvoir — le trône devant revenir à l'aîné, et Cléopâtre étant la seule à savoir qui il est — et à la composante sentimentale de l'intrigue — les deux frères aimant Rodogune, qui n'en aime qu'un, qu'elle est, là aussi, la seule à connaître.

La deuxième source, *L'Histoire universelle* de Justin, qui reprend et résume, à l'époque des Antonins, les *Histoires philippiques* de l'historien gaulois Trogue Pompée, dont l'œuvre est perdue, offre des mêmes événements un récit plus détaillé et qui présente quelques variantes, notamment quant au nom des protagonistes. Corneille avait pu lire l'ouvrage de Justin dans une traduction datant de 1627. Antiochus, le second fils de Cléopâtre, y est surnommé « Griffon, à cause de son grand nez » et il y est « fait roi par sa mère, mais de telle façon que le fils n'en retenait rien que le nom, et que la mère avait toute l'autorité » (chap. XXXIX, 1). Et c'est parce qu'elle voit que son autorité diminue au profit de son fils que Cléopâtre décide de l'empoisonner. La soif de domination de Cléopâtre est donc ici présentée comme le mobile central de son action. De plus, à la suite du récit de ces événements, Justin signale que « durant toutes ces discordes émues pour la Couronne de Syrie et suivies de tant de parricides, mourut Ptolémée roi d'Égypte, ayant laissé son royaume à sa femme pour le donner

à celui de ses enfants dont elle voudrait faire élection »
(chap. XXXIX, 3). C'est sans doute de là que Corneille, la
transposant du royaume d'Égypte à celui de Syrie, tire l'idée
de donner à Cléopâtre le choix de la désignation du prince
héritier de la couronne. En tout cas, malgré sa plus grande
précision, le texte de Justin ne cite à aucun moment le personnage de Rodogune, se contentant de signaler que Démétrius (Nicanor) épouse une fille du roi des Parthes, dont il ne
précise pas le nom.

La troisième source, *Les Antiquités judaïques* de Flavius
Josèphe, l'historien juif du Ier siècle ap. J.-C., dont une traduction avait paru en 1639, relate bien, dans son livre XIII, les
guerres de Syrie, mais ne fait pratiquement aucune allusion
aux événements qui forment la trame de l'intrigue de la tragédie. Et il en va de même du premier livre des *Maccabées*,
dans la Bible, comparable sur le plan de la relation historique
à celui de Flavius Josèphe.

La comparaison de ces quatre sources fait surtout apparaître la complexité des événements, et Corneille lui-même ne
manque pas de relever ce que dit chacune et que ne disent pas
les autres. Ce qui, du coup, justifie qu'il ait pu faire des choix.
La fin de son Avertissement le dit expressément : « Josèphe, au
XIIIe livre des *Antiquités judaïques*, […] s'accorde avec Justin
touchant la mort de Démétrius abandonné et non pas tué par
sa femme, et ne parle point de ce qu'Appian et lui rapportent
d'elle et de ses deux fils, dont j'ai fait cette tragédie » (p. 46).

La complication de la situation historique, et la diversité du
rapport qu'en font les différents historiens, apportent en fait à
Corneille à la fois des matériaux multiples et une vraie lati-
tude, selon qu'il emprunte ici ou là, pour les traiter. Il construit
son intrigue dans ce que l'on pourrait appeler les trous de
l'Histoire, suppléant par l'imagination à ce que les sources
rapportent de façon diverse, ou à ce sur quoi elles restent
muettes, et ne reculant pas davantage devant toute transfor-
mation qui lui paraît utile à son intrigue : ainsi Séleucie étant
le lieu choisi pour l'action, peu importe que les Parthes l'occupent depuis 140 av. J.-C., alors que la pièce est censée se
dérouler en 125. Et que dans la réalité le roi d'Égypte Ptolémée VII soit l'oncle de Cléopâtre n'empêche pas que Corneille préfère le présenter comme son frère, pour resserrer les

liens du sang. Cela se justifie parfaitement aux yeux du dramaturge, qui évoque cette question dans son *Discours de la tragédie*, soulignant qu'il lui « était beaucoup moins permis dans *Horace*, et dans *Pompée*, dont les histoires ne sont ignorées de personne, que dans *Rodogune* et dans *Nicomède*, dont peu de gens savaient les noms avant qu'[il] les [eût] mis sur le théâtre. La seule mesure qu'on y peut prendre, c'est que tout ce qu'on y ajoute à l'histoire, et tous les changements qu'on y apporte, ne soient jamais plus incroyables, que ce qu'on en conserve dans le même poème » (in *Œuvres complètes*, éd. G. Couton, «Bibliothèque de la Pléiade», t. III, p. 172). Ce qui fait au bout du compte que, cautionnée par l'histoire et par quatre sources dûment répertoriées, l'intrigue de *Rodogune* réussit ce tour de force d'être avant tout de l'invention de son auteur.

Une telle façon de procéder n'a pas été sans susciter, de la part d'exégètes peu convaincus de ce talent d'invention, des hypothèses dont la fantaisie n'a d'égale que l'absence totale de documents susceptibles de les accréditer. Le XVIIIe siècle, par la voix du chansonnier Laujon, repris en chœur par Voltaire, a ainsi prétendu que Corneille n'aurait fait que démarquer un roman latin du Moyen Âge : mais l'œuvre n'est identifiée par aucun titre, elle ne figure nulle part, et personne ne l'a lue! Autre source alléguée : non plus l'Histoire mais la réalité contemporaine. Selon Viguier, Cléopâtre aurait été directement inspirée à Corneille par la régente Anne d'Autriche. Outre que l'on voit mal un dramaturge oser représenter la reine de France comme une scélérate cherchant à se débarrasser de ses fils, la transposition à la couronne de France de la situation dynastique du royaume de Syrie et la présence en particulier de deux frères jumeaux ne sauraient trouver d'autre justification que dans la référence anachronique à un autre écrivain, romancier celui-là, et bien postérieur, brodant sur la gémellité du jeune Louis XIV et d'un sien frère, dont il fera *Le Masque de fer*...

Plus sérieux apparaît le problème que pose la publication, avant la pièce de Corneille, d'une autre *Rhodogune*, due à Claude Gilbert, dont l'achevé d'imprimer est du 13 février 1646, alors que celui de la tragédie cornélienne est du 31 janvier 1647. La ressemblance des deux pièces est non seulement évidente, mais elles offrent l'une et l'autre des éléments d'in-

trigue essentiels qui ne figurent pas dans les sources historiques, ce qui rend manifeste l'imitation de l'une par l'autre.
Dans le cas de Gilbert, la pièce se présente comme une tragi-
comédie : Rhodogune, reine de Perse (qui correspond ici à la
Cléopâtre de Corneille), a été répudiée par son époux Hydaspe
(équivalent de Nicanor) qui a épousé la fille du roi d'Arménie, Lidie (la Rodogune cornélienne). Elle s'en plaint à ses
deux fils, Darie et Artaxerse (correspondant à Antiochus et
Séleucus). Hydaspe est tué, et Lidie, prisonnière, est amenée à
Rhodogune. Les deux femmes se défient. Rhodogune décide
d'éliminer sa rivale, dont ses deux fils tombent amoureux. Elle
promet la couronne à l'un puis à l'autre en leur demandant
tour à tour de la venger en éliminant Lidie. Chacun refuse et
ils s'en remettent à Lidie, qui leur dit qu'elle épousera celui
des deux qui vengera Hydaspe en éliminant Rhodogune. Rhodogune choisit de faire élire roi Darie et d'éliminer Lidie par
la main de son fidèle Oronte. Mais le plan échoue : Darie s'in-
terpose et c'est lui qui est tué. Lidie, qui aimait Darie, vient se
livrer à Rhodogune pour qu'elle l'immole. Mais Artaxerse
prend sa défense, et fait valoir auprès de Rhodogune les nobles
sentiments de Lidie, qui a été contrainte d'épouser Hydaspe.
Rhodogune regrette d'avoir méconnu le vrai visage de Lidie et
lui pardonne. C'est à ce moment que survient Darie, qui n'était
pas mort, et qui vient sceller la réconciliation générale !

À la réserve du cinquième acte où se succèdent les rebondissements qui amènent à cet heureux dénouement, la pièce
de Gilbert présente un parallélisme d'intrigue frappant avec
celle de Corneille, que n'occulte pas la confusion qui naît du
transfert du nom de Rhodogune à la reine, ici de Perse et non
de Syrie. Or c'est précisément le fait que les événements qui
servent de base à cette intrigue soient directement tirés de
l'histoire des guerres de Syrie qui incite à voir dans Corneille,
qui cite ses sources historiques, le modèle de Gilbert, qui a
transposé librement en Perse, sans aucune justification historique, ce qu'il a pris chez son rival. Le succès de la tragédie à
la scène explique, par ailleurs, que ce dernier, soucieux de la
conserver à la troupe qui l'avait créée durant la saison 1644-
1645, en ait différé la publication jusqu'en 1647. Gilbert n'a
fait ainsi que procéder à une libre imitation, tout à fait coutu-
mière des pratiques du théâtre à l'époque. Le traitement qu'il

fait du même sujet sur le mode de la tragi-comédie est, du coup, particulièrement révélateur du choix foncièrement tragique de Corneille, lequel est suffisamment ressenti comme tel pour qu'il éprouve le besoin de s'en démarquer. L'imitation de Gilbert accuse en fait les traits spécifiques de la tragédie cornélienne.

Et c'est sans doute chez Corneille lui-même qu'il faut chercher la matière même de cette spécificité. On a souvent fait remarquer qu'en Cléopâtre, il avait peint en quelque sorte, selon l'expression que lui-même emploie dans l'Avertissement, une « seconde Médée ». La source interne que constitue ce qui avait été, en 1634-1635, son premier essai en matière de tragédie, n'est toutefois pas à envisager de façon systématique. Les ressemblances avec *Médée* ne manquent certes pas, et notamment cet aspect central de l'intrigue qui voit une femme diabolique se venger d'une rivale et sacrifier à sa haine vengeresse ses propres enfants. Mais il y a là situation mythologique sinon courante, du moins fréquente, et dans la galerie des monstres infanticides, Médée représente en quelque sorte un archétype. Plus fondamentalement, c'est dans l'évolution même de sa carrière dramatique, et dans les points de tension extrême que représentent la postulation comique et la postulation tragique qu'il faut chercher la genèse de la pièce. À cet égard, le fait que Corneille écrive la plus noire de ses tragédies immédiatement à la suite de sa dernière contribution à la comédie, avec *La Suite du Menteur*, invite à replacer plus fondamentalement *Rodogune* dans le contexte général de toute une œuvre.

UNITÉS

Cette œuvre, Corneille lui-même l'envisage dans ses constantes et sa diversité, lorsqu'il s'en fait le commentateur. Quand on regarde de près les textes liminaires dont il accompagne chacune de ses pièces — préfaces, épîtres, avertissements et, dans l'édition de 1660, examens —, on se rend compte du souci constant qu'il manifeste pour les questions de théorie dramatique. La question des sources n'est qu'un des aspects d'un intérêt plus large porté à tout ce qui est constitutif de la matière et de la structure des pièces. Sur ce plan, si l'Avertissement de 1647 porte en majeure partie sur la façon dont il utilise dans *Rodogune* le matériau historique que lui fournissent ses sources, l'Examen qui le remplace à partir de 1660 élargit la réflexion aux problèmes généraux de la narration dramatique et à la question des unités. Ce qui ne saurait surprendre de la part du dramaturge qui, cette même année 1660, consacre trois discours à ces questions, dont l'un plus précisément aux trois unités, dans lequel d'ailleurs *Rodogune* revient à plusieurs reprises pour étayer la discussion et fournir des exemples probants.

Le jugement qu'il porte sur sa pièce dans l'Examen, où il souligne la « tendresse » toute particulière et même la « préférence » qu'il a pour elle, se trouve justifié par une sorte de perfection qu'il y voit dans toutes ses composantes : « Elle a tout ensemble la beauté du sujet, la nouveauté des fictions, la force des vers, la facilité de l'expression, la solidité du raisonnement, la chaleur des passions, les tendresses de l'amour et de l'amitié, et cet heureux assemblage est ménagé de sorte qu'elle s'élève d'acte en acte. Le second passe le premier, le troisième est au-dessus du second, et le dernier l'emporte sur tous les autres (p. 49). » Et, couronnement de cette excellence, les trois unités y sont parfaitement maîtrisées : « L'action y est une, grande, complète, sa durée ne va point, ou fort peu, au-delà de celle de la représentation, le jour en est le plus illustre qu'on puisse imaginer, et l'unité de lieu s'y rencontre en la manière que je l'explique dans le troisième de ces discours, et avec l'indulgence que j'ai demandée pour le théâtre » (*ibid.*).

L'application de la règle des unités, qui a été au départ souvent délicate pour le dramaturge, semble ici, par la rapidité même avec laquelle elle est évoquée, répondre sans difficulté aux exigences les plus pointilleuses : Corneille n'est pas loin de voir dans *Rodogune* une sorte de perfection réalisée en la matière. Il développe d'ailleurs les arguments qu'il a, sur ce plan, à faire valoir, dans le *Discours des trois unités*. Ainsi, pour ce qui est de l'action, qu'il définit comme « une, grande, complète », le *Discours* précise, d'emblée, les deux points sur lesquels il s'agit de s'entendre. Si « l'unité d'action consiste [...] en l'unité de péril dans la tragédie, soit que son héros y succombe, soit qu'il en sorte » (*O.C., op. cit.*, t. III, p. 174), Corneille précise aussitôt : « Ce n'est pas que je prétende qu'on ne puisse admettre plusieurs périls […], pourvu que de l'un on tombe nécessairement dans l'autre ; car alors la sortie du premier péril ne rend point l'action complète, puisqu'elle en attire un second » (*ibid.*). Ce schéma correspond parfaitement à *Rodogune* : l'action centrale — Cléopâtre face aux trois personnages qu'elle considère comme une menace pour elle : Rodogune, Antiochus et Séleucus — passe par une série de situations et de rebondissements — la résistance de Rodogune et sa volonté de se venger de son côté de Cléopâtre, le parti pris par Séleucus de se retirer et les tentatives faites par Antiochus pour arranger les choses, le meurtre de Séleucus enfin et la préparation du poison — qui, selon une sorte de mécanique implacable, s'enchaînent pour rendre irréversible le processus dramatique et mener au drame final.

L'unité d'action présente un second caractère problématique, que Corneille évoque aussitôt : « En second lieu, ce mot d'unité d'action ne veut pas dire que la tragédie n'en doive faire qu'une sur le théâtre. […] Il n'y doit avoir qu'une action complète, qui laisse l'esprit de l'auditeur dans le calme, mais elle ne peut le devenir, que par plusieurs autres imparfaites, qui lui servent d'acheminements, et tiennent cet auditeur dans une agréable suspension. C'est ce qu'il faut pratiquer à la fin de chaque acte pour rendre l'action continue. Il n'est pas besoin qu'on sache précisément tout ce que font les acteurs durant les intervalles qui les séparent, ni même qu'ils agissent, lorsqu'ils ne paraissent point sur le théâtre ; mais il est nécessaire que chaque acte laisse une attente de quelque chose, qui se doive faire dans celui qui le suit » (*ibid.*, p. 175). Cette double exigence d'*acheminement* et de *suspension*, Corneille la développe en prenant précisément le cas de *Rodogune* comme exemple. Faisant remarquer la disparition de Cléopâtre pendant tout le troisième acte, il reconnaît lui-même n'être pas en mesure de dire ce que celle-ci peut bien faire pendant cette absence de la scène, mais il ne croit « pas être obligé à en rendre compte », du fait que la demande que la reine a faite à ses deux fils de la venger en éliminant Rodogune à la scène 3 de l'acte II entraîne à la fin de cet acte « un effort de l'amitié des deux frères pour régner, et dérober Rodogune à la haine envenimée de leur mère », action dont on « voit l'effet dans le troisième, dont la fin prépare encore à voir un autre effort d'Antiochus, pour regagner ces deux ennemies, l'une après l'autre, et à ce que fait Séleucus dans le quatrième, qui oblige cette mère dénaturée à résoudre, et faire attendre, ce qu'elle tâche d'exécuter au cinquième » (*ibid.*). L'acheminement vers le dénouement tient donc à la fois à l'enchaînement des actions générées par l'action principale — Cléopâtre décidée à se venger de Rodogune — et aux suspens successifs que le développement de ces actions connaît du fait des rebondissements divers, entraînant l'intérêt et suscitant l'attente du spectateur.

C'est dire aussi, de façon implicite, que, l'action principale étant liée à la décision et au devenir de Cléopâtre, c'est bien elle qui est le personnage central de la pièce, auxquels les autres sont subordonnés. L'Avertissement le reconnaît : « On s'étonnera peut-être de ce que j'ai donné à cette tragédie le nom de *Rodogune*, plutôt que celui de *Cléopâtre* sur qui tombe toute l'action tragique » (p. 44). Et il en donne l'explication dans sa volonté d'éviter au public tout quiproquo avec le personnage célèbre de l'autre Cléopâtre, la reine d'Égypte. À cette réserve près, justifiée par l'observation que les « anciens maîtres [...] se sont fort peu mis en peine de donner à leurs poèmes le nom des héros qu'ils y faisaient paraître » (*ibid.*), Corneille donne donc l'action de sa tragédie comme une sorte de modèle, son unité résultant d'un savant agencement dramatique qui soumet tout à un élément principal, autour duquel viennent se nouer toute une série d'éléments que celui-ci entraîne.

Tout aussi exemplaire apparaît le traitement de l'unité de temps. Les deux composantes que les doctes réclament — la durée et la grandeur — sont ici respectées de façon présentée comme parfaite. Pour ce qui est de la grandeur, il s'agit en effet d'un jour éminemment solennel, comme l'indique le premier hémistiche du premier vers : « Enfin ce jour pompeux... ». Corneille, dans le *Discours*, souligne que « c'est un grand ornement pour un poème que le choix d'un jour illustre, et attendu depuis quelque temps. » Mais il reconnaît aussi que la chose ne va pas toujours de soi : « Il ne s'en présente pas toujours des occasions, et dans tout ce que j'ai fait jusqu'ici vous n'en trouverez de cette nature que quatre. » Et, parmi ces quatre cas, au côté d'*Horace*, d'*Andromède* et de *Don Sanche*, la place principale est réservée à *Rodogune*, dont le dramaturge détaille le caractère exemplaire en la matière : « Dans *Rodogune*, c'est un jour choisi par deux souverains, pour l'effet d'un traité de paix entre leurs couronnes ennemies, pour une entière réconciliation entre deux rivales par un mariage, et pour l'éclaircissement d'un secret de plus de vingt ans, touchant le droit d'aînesse entre deux princes gémeaux, dont dépend le royaume et le succès de leur amour » (*O.C.*, *op. cit.*, t. III, p. 186). Le jour choisi va donc au-delà de ce que l'on serait en droit d'attendre : son côté exceptionnel le distingue pratiquement comme unique.

En ce qui concerne la durée, Corneille va de même à la limite de ce vers quoi tend l'application de la règle. Alors que la norme retenue est celle de l'unité de jour, sur laquelle il disserte dans le *Discours* pour dire qu'elle lui paraît devoir être entendue de façon extensive — vingt-quatre heures plutôt que douze —, celle-ci lui paraît devoir répondre mieux encore à la vraisemblance proprement théâtrale si elle peut s'accorder à la durée de la représentation. C'est naturellement là une solution extrême, impossible à appliquer dans la plupart des cas, mais à laquelle, selon le dramaturge, il faut tendre dans l'absolu : « La représentation dure deux heures, et ressemblerait parfaitement, si l'action qu'elle représente n'en demandait pas davantage pour sa réalité. Ainsi ne nous arrêtons point ni aux douze, ni aux vingt-quatre heures ; mais resserrons l'action du poème dans la moindre durée, qu'il nous sera possible, afin que sa représentation ressemble mieux, et soit plus parfaite. Ne donnons, s'il se peut, à l'une que les deux heures que l'autre remplit. » Et, pour illustrer cette solution rarement atteinte, un exemple se présente aussitôt sous sa plume : « Je ne crois pas que *Rodogune* en demande guère davantage » (*ibid.*, p. 184). L'action de la tragédie n'exige en effet pas plus des deux heures de la représentation, et le cortège nuptial annoncé comme imminent dès le début de la pièce se forme bien aux derniers vers de la dernière scène : mais, loin de l'allégresse attendue, c'est « en funèbre appareil » (v. 1842) qu'Antiochus conduit Rodogune au temple. Le resserrement de la durée ajoute ainsi à l'effet de choc. Toutefois, pour parvenir à cette concentration extrême, Corneille n'a pas pu faire l'économie d'une mise en situation du présent par un rappel cir-

constancié du passé : d'où la présence de longs récits qui expo-
sent le contexte historique, depuis les explications de Laonice
mettant Timagène au fait des diverses péripéties des guerres
syriaques, aux scènes 1 et 4 de l'acte I, jusqu'aux renseignements fournis successivement sur leur propre histoire par
Cléopâtre d'abord, aux scènes 2 et 3 de l'acte II, par Rodogune ensuite, à la scène 3 de l'acte III. Mais ces retours en
arrière, loin de ralentir l'action, la font apparaître au contraire
comme le point d'aboutissement d'une situation depuis longtemps tendue, et dont l'accélération présente marque le
moment où elle va exploser.

Reste l'unité de lieu. Derrière l'indication liminaire qui sti-
pule que « la scène est à Séleucie, dans le palais royal » se pro-
file un choix qui, loin d'être de facilité, traduit en fait la
réflexion à laquelle Corneille en est arrivé sur une question
controversée parmi les doctes eux-mêmes. Comme il le souligne bien dans l'Examen, il donne à cette unité le sens qu'il
développe dans le *Discours* : « Je souhaiterais, pour ne point
gêner du tout le spectateur, que ce qu'on fait représenter
devant lui en deux heures se pût passer en effet en deux heures,
et que ce qu'on lui fait voir sur un théâtre qui ne change
point, pût s'arrêter dans une chambre, ou dans une salle, suivant le choix qu'on en aurait fait : mais souvent cela est si malaisé, pour ne dire, impossible, qu'il faut de nécessité trouver
quelque élargissement pour le lieu, comme pour le temps »
(*ibid.*, p. 187). Liant le lieu au temps, Corneille se montre
compréhensif pour une application élargie de la norme dans
les deux cas, et cela au nom d'une commune exigence de vraisemblance. Ce qui l'amène, là encore, à donner dans son raisonnement une place privilégiée à *Rodogune*. C'est que la pièce
pose sur ce point précis du lieu unique un problème et sou-
lève une difficulté : comment faire tenir dans un même espace
des personnages ennemis qui forcément parlent pour ne pas
être entendus l'un de l'autre ? « Dans *Rodogune*, Cléopâtre et
elle ont des intérêts trop divers pour expliquer leurs plus
secrètes pensées en même lieu » (*ibid.*). D'où une logique qui
multiplierait les lieux particuliers : « Suivant cet ordre le premier acte de cette tragédie serait dans l'antichambre de Rodogune, le second dans la chambre de Cléopâtre, le troisième
dans celle de Rodogune : mais si le quatrième peut commen-

cer chez cette princesse, il n'y peut achever, et ce que Cléopâtre y dit à ses deux fils, l'un après l'autre, y serait mal placé.
Le cinquième a besoin d'une salle d'audience, où un grand
peuple puisse être présent » (*ibid.*, p. 188). Le choix du « palais
royal » est une façon de répondre à cette diversité nécessaire à
la vraisemblance, tout en maintenant l'unité prônée par la
règle. Corneille s'en explique de façon très précise, présen-
tant sa solution non comme une façon de contourner la loi
dramatique, mais tout au contraire comme une solution qu'il
propose pour en permettre l'application la plus conforme aux
exigences théâtrales : « Les jurisconsultes admettent des fictions de droit, et je voudrais à leur exemple introduire des fictions de théâtre, pour établir un lieu théâtral, qui ne serait, ni
l'appartement de Cléopâtre, ni celui de Rodogune dans la
pièce qui porte ce titre, [...] mais une salle, sur laquelle ouvrent
ces divers appartements, à qui j'attribuerais deux privilèges.
L'un que chacun de ceux qui y parleraient fût présumé y parler avec le même secret que s'il était dans sa chambre ; l'autre,
qu'au lieu que dans l'ordre commun il est quelquefois de la
bienséance que ceux qui occupent le théâtre aillent trouver
ceux qui sont dans leur cabinet pour parler à eux, ceux-ci pussent les venir trouver sur le théâtre, sans choquer cette bienséance, afin de conserver l'unité de lieu, et la liaison des scènes »
(*ibid.*, p. 190). Ainsi se trouve justifié ce « palais à volonté » que
suggère l'indication scénique, et que confirme la mention
conservée dans le *Registre de Mahelot*, sous la plume de son successeur Michel Laurent décrivant le décor utilisé à l'Hôtel
de Bourgogne pour la représentation de la pièce en 1678 :
« Théâtre est une salle de palais. » Ce lieu à la fois unique et
multiple, où la convention garantit la vraisemblance, permet
du coup à Rodogune de venir y rejoindre Laonice dans le premier acte, alors que l'étiquette exigerait le contraire, tout
comme Antiochus peut venir y retrouver Cléopâtre au quatrième, « bien que dans l'exacte vraisemblance ce prince devrait
aller chercher sa mère dans son cabinet, puisqu'elle hait trop
cette princesse pour venir parler à lui, dans son appartement,
où la première scène fixerait le reste de cet acte, si l'on n'ap-
portait ce tempérament, dont j'ai parlé, à la rigoureuse unité
de lieu » (*ibid.*, p. 190). Sous cette conception « rigoureuse »
de la règle se profilent à l'évidence les observations de l'abbé

d'Aubignac qui, dans sa *Pratique du théâtre*, fustige ces salles de palais regorgeant de monde et où les protagonistes livrent sans jamais être entendus leurs plus intimes secrets ! À la vraisemblance de situation, que défend d'Aubignac, laquelle renvoie à la simple réalité des faits, Corneille superpose ce que l'on pourrait appeler la vraisemblance théâtrale, qui admet la convention scénique et qui, par le travail commun du dramaturge et de son décorateur, laisse à l'imagination du spectateur le soin de trouver son bonheur. *Rodogune*, à cet égard, est probablement de toutes les pièces de Corneille celle qui répond le mieux à cette recherche qu'il n'a jamais cessé d'approfondir et à ce but qu'il s'est fixé à la fois dans la conception d'une théorie dramatique et dans l'application de celle-ci : « accorder les règles anciennes avec les agréments modernes » (*ibid.*, p. 190). Et cela explique sans doute aussi le sentiment de préférence qu'il avait pour elle.

STRUCTURE DRAMATIQUE

Un autre facteur, qui répond à une exigence non seulement théorisée dans le *Discours de l'utilité et des parties du poëme dramatique*, mais aussi constamment mise en pratique dans les grandes tragédies, est lié à la durée de la représentation, et, partant, à l'unité de temps telle que la conçoit ici Corneille : s'interrogeant sur la « représentation, que nous bornons d'ordinaire à un peu moins de deux heures », il rappelle en effet que « quelques-uns réduisent le nombre des vers qu'on y récite à quinze cents, et veulent que les pièces de théâtre ne puissent aller jusqu'à dix-huit, sans laisser un chagrin capable de faire oublier les plus belles choses. » À quoi il fait observer que lui-même a « été plus heureux que leur règle ne le [lui] permet, en ayant pour l'ordinaire donné deux mille aux comédies, et un peu plus de dix-huit cents aux tragédies, sans avoir sujet de [se] plaindre que [s]on auditoire ait montré trop de chagrin pour cette longueur » (*Discours de l'utilité...*, p. 128). Dans cette optique, qui traduit l'intérêt manifesté par le dramaturge pour les aspects proprement scéniques de la représentation, on peut remarquer que *Rodogune*, qui comporte 1 844 vers, s'inscrit dans une longueur moyenne, qui tend à faire se rejoindre les 2 000 vers assignés à la comédie et les 1 800 à la tragédie. Le contexte immédiat établit ainsi une sorte de continuité entre les deux comédies qui précèdent, *Le Menteur* et ses 1 804 vers et *La Suite du Menteur* et ses 1 904, et les deux tragédies qui suivent, *Théodore* et ses 1 882 vers et *Héraclius* et ses 1 916. Ce qui montre que, se moquant finalement de la rigidité des normes, Corneille a confiance dans la qualité dramatique de ses sujets.

La longueur n'est pas tout : encore doit-elle être justement répartie et équilibrée, chaque acte devant répondre aux autres sans risquer de déséquilibrer l'ensemble : « Il faut à la vérité », écrit-il dans l'Examen de *La Suivante*, où il se préoccupe déjà de faire coïncider la durée de l'action et celle de la représentation, « les rendre les plus égaux qu'il se peut ; mais il n'est pas besoin de cette exactitude. Il suffit qu'il n'y ait point d'inégalité notable qui fatigue l'attention de l'auditeur en quelques-uns, et ne la remplisse pas dans les autres » (*Œuvres complètes, op. cit.,* t. I, p. 391). L'application, là encore souple, de la norme rend la répartition du nombre des vers dans chacun des actes de *Rodogune* à la fois probante et révélatrice : dans un ensemble globalement très équilibré, l'acte d'exposition est le plus long — ce qui s'explique par les récits qu'il comporte —, 394 vers, alors que les trois actes de l'action sont très proches les uns des autres, 364 pour l'acte II, 372 pour l'acte III, et 366 pour l'acte IV, et que le dénouement, dans sa brutalité, est le plus court — 348 vers pour l'acte V.

L'observation est d'autant plus significative que c'est ce dernier acte qui, pour beaucoup, fait tout l'intérêt structurel de la pièce. Voltaire le disait déjà, Stendhal le répétait plus fort encore : « Il y a de grandes fautes de *scenegiatura*, mais que ne rachèterait le cinquième acte ? » (*Journal* du 26 juillet 1804). L'importance quantitative moindre de cet acte, rapportée à l'effet d'importance qualitative majeure qu'il suscite, démontre toute la virtuosité du dramaturge. Et souligne, s'il en est besoin, la qualité de l'agencement dramatique de sa pièce.

La structure de *Rodogune* est en effet excessivement serrée. Elle repose sur deux éléments : une progression rigoureuse, et des effets de dédoublement et de symétries. Chaque acte, voire chaque scène, répond à cet « heureux assemblage » dont Corneille, dans l'Examen, dit qu'il « est ménagé de sorte que [la

pièce] s'élève d'acte en acte ». Et, de fait, chaque acte entraîne
un enchaînement avec le suivant, qui apparaît d'autant plus
précis que le rôle qu'y joue chaque personnage est méticuleu-
sement agencé. L'acte I est celui de l'exposition, à travers la
longue mise au point faite par Laonice devant Timagène du
détail des guerres de Syrie et des péripéties diverses qui ont
fait que la situation est aujourd'hui ce qu'elle est, et que le
jour qui commence doit mettre un terme heureux à une situation depuis si longtemps nouée. Dans des entrées qui font
alternance avec le double récit de Laonice aux scènes 1 et 4 et
qui, en quelque sorte, en personnifient les acteurs, les personnages qui sont les bénéficiaires potentiels de cette issue annon-
cée se présentent tour à tour : Antiochus à la scène 2, Séleucus
à la scène 3, Rodogune à la scène 5. Mais leurs interventions
font apparaître que l'issue attendue — le règne d'un côté, le
mariage de l'autre — est, pour chacun, problématique. Dans
ces conditions, tout dépend du personnage dont relève la
décision qui va théoriquement dénouer la situation. Ce personnage principal, c'est Cléopâtre : dans une entrée retardée,
situation de théâtre qui fait d'autant plus jouer le suspens
ménagé par l'effet d'attente, comme ce sera le cas pour Tar-
tuffe, elle se présente seule dans la première scène de l'acte II.
C'est que cet acte est le sien : d'emblée elle y fait paraître ses
véritables intentions, qui sont rien moins que pacifiques et
réconciliatrices, et elle les expose crûment à Laonice d'abord,
à ses deux fils ensuite, qui en restent abasourdis et s'efforcent
tant bien que mal de trouver une solution au dilemme dans
lequel elle les plonge. Or cette solution reporte le choix sur
Rodogune : le troisième acte est donc logiquement celui de la
princesse parthe. Ayant cherché conseil et aide auprès de Laonice et d'Oronte, celle-ci se décide à proposer aux deux frères
sa propre façon de régler les choses, ce qui les laisse aussi abasourdis et expectatifs que devant la proposition de leur mère.
Mais c'est à eux, désormais, de choisir : le quatrième acte sera
donc le leur. Avec, d'abord, les efforts d'Antiochus pour essayer
d'émouvoir et de convaincre Rodogune dans un premier temps,
puis Cléopâtre dans un second. Celle-ci, qui tient tous les fils,
peut faire mine d'être convaincue : c'est en fait son autre fils
Séleucus, le maillon faible, qui va subir ses tentatives de séduction. Comme il résiste, Cléopâtre se retrouve face à la seule

issue pour elle désormais possible : se débarrasser non seulement de Rodogune, comme elle l'avait prévu, mais aussi de ses
deux fils, puisqu'ils ne veulent pas être l'instrument de sa vengeance. Le cinquième acte dénoue donc bien la situation,
mais non pas dans la perspective de bonheur et de réconciliation attendue. Il réunit pour la première et seule fois tous les
protagonistes, à la réserve de l'un qui ne peut plus être là phy-
siquement, mais dont l'ombre plane sur la scène. Lorsque
l'acte commence, en effet, Séleucus a déjà été assassiné, et
Cléopâtre s'apprête maintenant à faire périr, par la coupe
nuptiale qu'elle transforme par une ironie cruelle en coupe
funèbre, les deux qui restent. Qu'elle-même soit finalement
victime du poison qu'elle leur réserve n'est que l'ultime rebon-
dissement, lourd d'un suspens lié au degré de rapidité avec
laquelle le breuvage empoisonné va agir, d'un mécanisme
mortifère poussé inexorablement jusqu'à son terme. La suspension constante tout au long du déroulement de l'action et
de sa montée en puissance — que vont faire Antiochus, et
Séleucus, et Rodogune, pour échapper à Cléopâtre ? — trouve
son ultime point de *suspense* dans cette coupe hitchcockienne
qui se promène sur scène entre les personnages restants : qui
boira ? qui ne boira pas ? qui mourra ? qui ne mourra pas ?
   La question, avec sa force d'alternative, est d'autant plus
excitante qu'un second effet joue, en complémentarité avec
cette progression du drame : la répartition binaire des éléments dramatiques et les effets de dédoublement et de symétrie qui scandent l'action. Sans même prendre en compte la
signification thématique de la gémellité, on peut s'apercevoir
qu'au niveau structurel, tout est organisé selon un principe de
redoublement. L'apparition symétrique et successive des deux
frères à l'acte I ; puis la double scène en résonance de Cléopâtre proposant la couronne à celui de ses deux fils qui élimi-
nera Rodogune, à la scène 3 de l'acte II, et de Rodogune,
proposant la même chose en sens inverse aux deux princes, à
la scène 4 de l'acte III ; la réaction similaire d'Antiochus et de
Séleucus aux deux propositions, dans les deux scènes qui suivent à chaque acte ; l'annonce que fait Cléopâtre à Antiochus
qu'il est l'aîné, à la scène 3 de l'acte IV, puis celle parallèle et
semblable qu'elle fait ensuite à Séleucus, à la scène 6 du
même acte : tout est toujours double. Ce qui fait attendre un

dénouement de même nature duelle, et, puisque Séleucus est assassiné, laisse penser qu'Antiochus va lui succéder dans la mort. Et c'est très précisément ce que tout l'engrenage de l'empoisonnement fait croire jusqu'à l'instant fatidique où, par un effet d'inversion, c'est Cléopâtre qui meurt avant d'avoir pu tuer Antiochus. L'effet de dualité a joué jusqu'au bout, mais par une sorte de fausse symétrie finale, il se retourne dans un sens inattendu. À la rigueur implacable d'une mécanique qui avance inexorablement, au risque de ne plus surprendre, Corneille ajoute, par un ultime retournement de situation, la dimension jusqu'au bout surprenante d'un drame qui, dans son dénouement même, n'en finit pas de laisser le spectateur sidéré.

RÉCEPTION ET MISES EN SCÈNE
DE *RODOGUNE*

On ne sait rien de la création de *Rodogune*, et longtemps le doute a subsisté pour savoir si la pièce avait été représentée avant ou après *Théodore*. Si les éditions collectives parues du vivant de Corneille placent, à l'exception de celle de 1662, *Rodogune* entre *Théodore* et *Héraclius*, cet ordre de publication ne reflète pas l'ordre de création, qui se présente de façon à peu près assurée comme suit :

Saison 1644-1645 : *La Suite du Menteur, Rodogune*.

Saison 1645-1646 : *Théodore*.

Saison 1646-1647 : *Héraclius*.

On n'en sait pas davantage, pour autant, sur la création elle-même. Le fait que Corneille ait attendu 1647 pour donner la pièce à l'impression laisse simplement supposer un succès théâtral prolongé. La publication mettait en effet l'œuvre dans le domaine public et l'auteur avait donc tout intérêt, en cas de succès, à la différer pour que l'exclusivité de la pièce restât à la troupe qui l'avait créée. Et c'est sans doute le moindre succès de *Théodore* qui explique que celle-ci fut publiée en 1646, avant *Rodogune*, mieux accueillie et toujours à l'affiche.

De quelle troupe ? Là encore on ne dispose d'aucun document précis, mais tout laisse supposer que la pièce fut créée au Marais. Il est peu probable en effet que Corneille ait donné sa pièce à l'Hôtel de Bourgogne, alors dirigé encore par Belle-rose, à qui il n'avait confié aucune de ses créations. Il ne s'adressera en fait aux Grands Comédiens qu'à partir de 1646, date à laquelle Bellerose allait céder sa garde-robe et sa place de chef de troupe à Floridor. Celui-ci dirigeait jusque-là la troupe du Marais, à laquelle Corneille avait confié régulièrement ses pièces depuis son arrivée à Paris avec *Mélite*. Et c'est donc vraisemblablement Floridor qui tint le rôle d'Antiochus lors de la création. La distribution n'étant toutefois pas connue, seule la composition de la troupe à l'époque permet de faire quelques conjectures, et de penser notamment, sur la foi du *Mercure galant* de mai 1647, que le rôle de Cléopâtre fut tenu par Mlle Beauchamps, dite « la belle brune », actrice au jeu puissant et très belle femme, grande et agréablement faite. Toutefois, une autre distribution a été conservée, peut-être plus tardive qui, au côté du même Floridor, donne le rôle de Cléopâtre à la Beaupré, et celui de Rodogune à Marie de Hornay.

Le seul fait avéré est que la pièce, après des débuts apparemment difficiles — Corneille parle, dans sa dédicace à Condé, de la « faiblesse de sa naissance » —, rallia très vite tous les « applaudissements », et que dès lors le succès ne se démentit pas. L'Hôtel de Bourgogne la reprend, puis la troupe de Molière, qui la joue dès son arrivée à Paris, où elle en donne cinq représentations au théâtre du Petit-Bourbon entre 1659 et 1661, puis treize au Palais-Royal entre 1661 et 1668. En 1676, c'est Louis XIV qui s'offre à Versailles une sorte de « festival Corneille », où il fait représenter les pièces les plus importantes : *Rodogune* en partie, et Corneille le remercie dans un poème « Au Roi », où il rend grâce au monarque que « déjà *Sertorius, Œdipe, Rodogune,* / so[ien]t remis par [s]on choix dans toute leur fortune » (in *Œuvres complètes*, éd. Georges Couton, « Bibliothèque de la Pléiade », 1987, t. III, p. 1313).

Vers 1678, le *Mémoire* du décorateur Michel Laurent, successeur de Mahelot, donne quelques indications sur le décor : « Théâtre est une salle de palais. Au second acte, il faut un fauteuil et deux tabourets. Au cinquième acte, trois fauteuils et un tabouret. Une coupe d'or. » Maigres renseignements, mais qui soulignent néanmoins quelques aspects essentiels : le choix d'un décor à espaces multiples — un palais — répond à la question de l'unité de lieu que Corneille se pose lui-même à propos de la pièce, lorsqu'il l'évoque dans le *Discours des trois unités* : « Cléopâtre et [Rodogune] ont des intérêts trop divers pour expliquer leurs plus secrètes pensées en même lieu. [...] Suivant cet ordre le premier acte de cette tragédie serait dans l'antichambre de Rodogune, le second dans la chambre de Cléopâtre, le troisième dans celle de Rodogune : mais si le quatrième peut commencer chez cette princesse, il n'y peut achever, et ce que Cléopâtre y dit à ses deux fils, l'un après l'autre, y serait mal placé. Le cinquième a besoin d'une salle d'audience, où un grand peuple puisse être présent. [...] Les jurisconsultes admettent des fictions de droit, et je voudrais à leur exemple introduire des fictions de théâtre, pour établir un lieu théâtral, qui ne serait, ni l'appartement de Cléopâtre, ni celui de Rodogune [...], mais une salle, sur laquelle ouvrent ces divers appartements » (*ibid.*, p. 187-189). Cette « salle », dont fait précisément mention le *Mémoire* de Laurent, se trouve ainsi mise en avant, au même titre que les fauteuils, symboliques de la lutte pour le trône qui sous-tend la pièce, et naturellement que la coupe, dont le choix du décorateur de la faire « d'or » montre suffisamment l'importance que la mise en scène entend lui donner.

Dans les mêmes années, en 1679, le couple Champmeslé est engagé à l'Hôtel Guénégaud, où la pièce est représentée cinq fois, juste avant que la fusion des troupes n'amène, le 25 août 1680, à la création de la Comédie-Française. La pièce entre aussitôt au répertoire, le 7 septembre 1680, où elle est donnée avec, au même programme, *Sganarelle ou Le Cocu imaginaire* de Molière, dans une distribution qui, autour du couple Champmeslé, elle en Rodogune, lui en Timagène, réunit Baron et Villiers dans les rôles respectifs d'Antiochus et de Séleucus et Mlle Guiot dans celui de Cléopâtre. Dès lors, le succès est constant, et *Rodogune* est donnée 82 fois jusqu'à la fin du siècle, Baron tenant toujours le rôle d'Antiochus qu'il conservera jusqu'à la fin de sa carrière, à plus de 80 ans (ce qui soulevait l'hilarité du parterre lorsque, en 1727, la toute jeune Balicourt, en Cléopâtre, disait à l'octogénaire et à l'acteur qui interprétait son frère : « Approchez, mes enfants » !). Baillet, dans *Le Journal des Savants*, témoigne en tout cas en 1686 de l'engouement des spectateurs : « La pièce de *Rodogune* est celle qui au jugement du public a mis M. Corneille à son période [= à son sommet] et à son solstice. » La seule réserve que l'on voit poindre touche à la brutalité de la pièce, et Saint-Évremond, dans la *Lettre* qu'il adresse à M. de Barillon en 1677, doit avancer toute une argumentation pour défendre cette violence : « Je vous supplie, Monsieur, d'oublier la douceur de notre naturel, l'innocence de nos mœurs, l'humanité de notre politique, pour considérer les coutumes barbares et les maximes criminelles des princes de l'Orient. Quand vous aurez fait réflexion qu'en toutes les familles royales de l'Asie, les pères se défont de leurs enfants sur le plus léger soupçon, que les enfants se défont de leur père par l'impatience de régner, que les maris font tuer leurs femmes et les femmes leurs maris, que les frères comptent pour rien le meurtre des frères, quand vous aurez considéré un usage si détestable établi parmi les rois de ces nations, vous vous étonnerez moins que Rodogune ait voulu assurer sa vie, recouvrer sa liberté et mettre un amant sur le trône par la perte de la plus méchante femme qui fût jamais. »

AU XVIIIᵉ SIÈCLE

Le jugement que Saint-Évremond porte ici sur le personnage de Rodogune met l'accent sur une des questions centrales qui va prévaloir dans toutes les représentations de la pièce : si le rôle de Cléopâtre ne souffre guère d'ambiguïté, offrant à la comédienne qui le tient toute la fureur des sentiments les plus violents, celui de la princesse des Parthes est moins tranché. Et, dans l'interprétation qui va en être donnée, deux grandes tendances se font rapidement jour, qui entraînent une approche différente de l'affrontement entre les deux personnages féminins. Selon la ligne qui semble provenir de Corneille lui-même, lequel dans ses *Discours* voit en Rodogune « une personne vertueuse », opposée à une Cléopâtre dont il souligne qu'elle est « très méchante », les deux personnages s'opposent comme le bien et le mal, la douceur et la furie. C'est cette interprétation qui prévaut avec les deux grandes interprètes des deux rôles au XVIIIᵉ siècle : la Dumesnil et la Gaussin. Si le souvenir est resté d'autres comédiennes du temps dans le rôle de Cléopâtre, Mlle Aubert en 1712, Mlle Lamotte en 1722, Mlle Balicourt en 1726, l'interprétation de la Dumesnil surpasse toutes les autres. Par la vigueur de ses gestes, l'éclat de sa voix, l'extraordinaire force hallucinée de son regard, la comédienne subjugue l'assistance. Voltaire, qui admire l'ingéniosité dramatique d'une pièce tout entière construite pour ménager les effets du cinquième acte mais qui n'aime guère « ce grand pathétique de l'action » qu'il y voit, relève qu'« il n'y a point de criminelle plus odieuse que Cléopâtre, et cependant on se plaît à la voir ; du moins le parterre, qui n'est pas toujours composé de connaisseurs sévères et délicats, s'est toujours laissé subjuguer quand une actrice imposante a joué ce rôle ». Sans doute l'interprétation de la Dumesnil, ici tacitement désignée, n'est-elle pas pour rien dans les jugements mitigés qu'il porte sur la pièce, tant dans son *Commentaire*, en 1764, que dans *L'Ingénu*, en 1767, où l'un de ses personnages, entendant dire que « c'est le chef-d'œuvre du théâtre », affirme qu'il n'en est guère convaincu, mais qu'« après tout, c'est ici une affaire de goût » et que le sien « ne doit pas encore être formé ».

Les réserves de Voltaire tranchent en tout cas, en son siècle, avec le succès qui ne se dément pas. De 1701 à 1800, *Rodogune* est donnée 236 fois à la Comédie-Française, ce qui la place au troisième rang des pièces de Corneille les plus représentées, tout juste après *Le Cid* et *Le Menteur*, et loin devant des tragédies comme *Horace*, *Polyeucte* ou *Cinna*, qui ne connaissent respectivement pour leur part que 198, 190 et 186 représentations. La cour aussi, et pas seulement la ville, apprécie la pièce, comme en témoignent les 44 représentations qui en sont données à Versailles entre 1680 et 1789. Et en 1760, lorsque Titon du Tillet, comédien du Roi, organise une représentation exceptionnelle en faveur d'un neveu de Corneille, Jean-François Corneille, c'est *Rodogune* qu'il choisit pour traduire le génie du grand dramaturge. Dans ce contexte, la force du rôle de Cléopâtre, dans la façon si expressive dont la Dumesnil la met en valeur, fait d'elle une véritable furie, entraînant des mouvements d'horreur dans le public, au point que, selon des anecdotes rapportées sur certaines représentations, le parterre recule un soir devant les imprécations terribles de la comédienne, laissant un grand espace vide entre les premiers rangs et l'orchestre, et qu'un autre soir, un spectateur excédé frappe même l'interprète au moment où, agonisant, elle exhale ses malédictions. Cette folie meurtrière est précisément ce qui frappe Lessing, qui analyse la pièce dans sa

Dramaturgie de Hambourg en 1768 où, passant en revue toutes les scélératesses du personnage, il conclut : « Tous ces traits la rapetissent tellement à nos yeux que nous ne croyons pas pouvoir assez la mépriser. Ce mépris finit nécessairement par absorber l'admiration ; et de Cléopâtre tout entière il ne reste qu'une femme odieuse et hideuse, toujours en furie et en démence, et digne d'une place d'honneur aux Petites-Maisons. »

C'est une impression toute contraire qu'offre, en contraste parfait, l'interprétation que donne de Rodogune l'autre grande comédienne du temps, la Gaussin. Succédant à Mlle Duclos, celle-ci apporte à la princesse une image de douceur, qui n'est pas sans rappeler l'interprétation très tendre qu'elle donne au même moment de Zaïre, l'héroïne de Voltaire. Revenant en 1798 dans ses *Mémoires* sur cette interprétation fameuse, sa rivale la Clairon décrit ainsi la comédienne et son jeu : « Mademoiselle Gaussin avait la plus belle tête, le son de voix le plus touchant possible ; son ensemble était noble, tous ses mouvements avaient une grâce enfantine, à laquelle il était impossible de résister ; mais elle était mademoiselle Gaussin dans tout. Zaïre et Rodogune étaient jetées dans le même moule : âge, état, situation, temps, lieu, tout avait la même teinte. » Analysant ensuite sa façon d'interpréter les vers où Rodogune évoque ces « je ne sais quoi, qu'on ne peut expliquer », elle émet une réserve fondamentale sur sa conception du rôle : « Rodogune aime ; et l'actrice, sans se ressouvenir que l'expression du sentiment se modifie d'après le caractère, et non d'après les mots, disait ces vers avec une grâce, une naïveté voluptueuse, plus faite, selon moi, pour Lucinde dans *l'Oracle* [comédie de Poullain de Saint-Foy créée en 1740] que pour Rodogune. Le public, routiné à cette manière, attendait ce couplet avec impatience et l'applaudissait avec transport. »

C'est que, face à cette conception d'une Rodogune tendre, guidée exclusivement par ses doux sentiments, Mlle Clairon défend une interprétation radicalement contraire, qui fait de l'affrontement entre la princesse et Cléopâtre un combat de tigresses, et non celui d'une victime et de son bourreau. Évoquant les mêmes vers amoureux, elle explique la façon dont elle-même les joue : « Je dis ces vers avec le dépit d'une femme fière, qui se voit contrainte d'avouer qu'elle est sensible. » Et à

Duclos, un membre de l'Académie française, qui n'est pas convaincu par cette interprétation et qui penche pour celle qu'en a donnée la Gaussin, elle rétorque : « Rodogune, un rôle tendre ? Une Parthe, une furie qui demande à ses amants la tête de leur mère et de leur reine, un rôle tendre ? Voilà, certes, un beau jugement ! » De cette interprétation, qui fait de Rodogune une rivale en violence de Cléopâtre, la Dumesnil, évidemment, ne voulait pas. Prenant dans ses propres *Mémoires* la défense de la Gaussin, dont le jeu plus retenu mettait d'autant mieux en valeur la furie de Cléopâtre, et partant le talent de son interprète, elle ne craint pas de dire que « la correction de la Clairon n'avait d'autre motif que la crainte de se commettre en se mesurant avec Mlle Gaussin, dans le même genre d'expression amoureuse ; quoi qu'il en soit, celle qu'elle a cru devoir adopter était un contresens perpétuel, une violation manifeste des intentions de l'auteur ».

Passionné par cette double interprétation du duel Cléopâtre-Rodogune, et par le talent avec lequel chacune est défendue par des comédiennes prestigieuses, le public accorde moins d'intérêt aux rôles tenus par les hommes, et le seul interprète masculin à véritablement marquer son temps est Lekain qui, prenant le rôle d'Antiochus à partir de 1751, le plie à son physique peu avantageux — visage maigre, corps rond, jambes arquées — pour lui donner, à défaut de la prestance attendue, une flamme et un pathétique qui éclatent en particulier dans son interprétation douloureuse de la scène finale.

AU XIXᵉ SIÈCLE

À la fin du XVIIIᵉ siècle et dans les premières décennies du siècle suivant, *Rodogune* reste une des pièces favorites du public. L'Empereur lui-même apprécie la pièce, qui est donnée deux fois, en 1807 et en 1810, à Fontainebleau. Et les peintres du temps s'inspirent de la scène finale pour brosser des œuvres puissantes : répondant à Charles-Antoine Coypel, qui avait peint en 1749 un *Rodogune et Cléopâtre* conservé au Musée de Grenoble, Pajou fils en propose sa propre version en 1812 dans un tableau appartenant à la collection de la Comédie-Française. Une des raisons de cet engouement généralisé est qu'une

nouvelle Cléopâtre s'est imposée après la Dumesnil, en la personne de Mlle Raucourt. Titulaire du rôle de 1781 à 1814,
celle-ci y impose à la fois sa prestance physique — taille superbe,
bel œil, figure majestueuse, maintien rempli de dignité, selon
la description d'un admirateur — mais aussi une voix forte,
sèche, avec des inflexions de dureté correspondant à une
vision à la fois autoritaire et violente du personnage. Devant
une telle interprétation, Geoffroy note en 1810, dans son *Journal
de l'Empire*, qu'« aucune des nouvelles actrices n'a encore
osé toucher au personnage de Cléopâtre ; jusqu'ici Mlle Raucourt est seule en possession de ce terrible rôle et même
paraît seule capable d'en soutenir le rôle ». Il faut dire que
l'effet est d'autant plus fort que, face à elle, Mlle Volnais joue
une Rodogune tendre, dans la lignée de la Gaussin, n'ayant
que sa sensibilité à opposer à la cruauté forcenée de sa rivale.

Mais une autre raison attire aussi le public vers la pièce, et
qui, pour la première fois, tient aux rôles masculins. Dans le
personnage d'Antiochus, deux grands comédiens s'imposent
et rivalisent. D'un côté Talma, dont Stendhal, qui le voit jouer,
et qui en est émerveillé, note dans son *Journal* du 26 juillet
1804 qu'« il a supérieurement rendu tout le suave de l'amitié.
[...] Superbe, il ressemble parfaitement dans toutes ses posi-
tions aux belles figures de Raphaël. Il était en blanc dans les
quatre premiers actes, en rouge et en diadème au dernier. Il a
rendu supérieurement l'anéantissement de la douleur ». Et le
sentiment du futur romancier du *Rouge et le Noir* est d'autant
plus élogieux qu'il voit dans la pièce un des chefs-d'œuvre de
Corneille : « Shakespeare n'a rien de plus beau. *Rodogune*, le
triomphe de la manière ferme et grande du grand Corneille. »
Au même moment, et dans le même Antiochus, Lafon apporte
moins de noblesse mais plus de tendresse touchante, propre à
émouvoir un public qui pleure à ses malheurs.

Une telle force expressive, dans la violence comme dans la
sensibilité, explique pour beaucoup que la pièce se main-
tienne sous l'Empire et à l'aube de la période romantique qui
commence : pas moins de 59 représentations à la Comédie-
Française entre 1801 et 1819. Ainsi interprétée, la tragédie a
quelque chose, comme le sous-entend Stendhal, de shakespearien, et elle apparaît presque comme un véritable drame
romantique avant l'heure. L'intérêt que l'on porte à l'exaspé-

ration des passions tout autant qu'au caractère romanesque de l'action trouve encore à vibrer au cours des décennies flamboyantes du romantisme grâce à une interprète exceptionnelle : Mlle George. Celle-ci tient alternativement les deux rôles féminins, mais c'est en Cléopâtre qu'elle donne sa pleine mesure, y faisant parler en particulier sa puissance vocale et ses qualités plastiques face à la Rodogune tendre de sa rivale, Mlle Duchesnois. Ayant quitté la Comédie-Française en 1817, elle y revient même en 1853 à l'âge de 67 ans pour une unique représentation où elle fait des adieux triomphaux dans un rôle qui l'a tellement marquée que c'est dans la robe et le manteau de Cléopâtre qu'elle pose pour la gravure de Geoffroy qui l'immortalise, et qu'elle exige de se faire enterrer dans ce même costume royal lorsqu'elle meurt en 1867. Lors de la représentation de 1853, c'était Mlle Rimblot qui lui donnait la réplique en Rodogune. Mais la grande interprète du rôle de la princesse parthe est, dans ces années-là, une autre comédienne de haut vol, Marie Dorval, qui, en 1845, le tient face à Mlle George à la salle Ventadour. Rencontre de deux monstres sacrés de la scène, l'affrontement entre la puissance de George-Cléopâtre et la passion de Rodogune-Dorval marque un des grands moments du théâtre du siècle et une date dans l'histoire de la représentation de la pièce.

Mais dès que les feux du romantisme s'éteignent, *Rodogune* ne suscite plus le même intérêt. Aux 59 représentations qui ont été données à la Comédie-Française pendant les vingt premières années du siècle répondent, pour les quatre-vingts années qui suivent, 22 représentations seulement, la dernière datant de 1867. Et les interprètes qui succèdent aux Raucourt, George et autre Dorval ne parviennent pas à les faire oublier, que ce soit Émilie Guyon dans Cléopâtre, Elise Devoyod dans Rodogune, ou encore un peu plus tard Marie Laurent en Cléopâtre, dans une représentation donnée à l'Odéon en 1878. La pièce, qui a constamment triomphé depuis l'époque de Corneille, entre alors dans une phase de repli, voire d'oubli, d'où elle va avoir du mal à sortir. Francisque Sarcey, qui affirme dans son feuilleton du *Temps*, à la date du 20 décembre 1889, que «Corneille a créé d'un seul coup un nouveau genre : le drame», et Brunetière qui, dans une conférence donnée en 1891, juge que «de toutes les tragédies de Corneille *Rodogune*

est [...] la plus contemporaine, la plus "romantique"», fournissent, d'une certaine manière, l'explication de cette quasi-
disparition : le temps du drame et du romantisme est passé.
Rodogune, interprétée quasiment comme un drame romantique sur la scène des années 1840, s'efface avec lui.

AU XXᵉ SIÈCLE

La Comédie-Française garde toutefois la pièce à son répertoire, et celle-ci va connaître un retour qui, tout en restant
d'abord modeste, traduit qu'à nouveau on lui porte de l'intérêt.
Aux 81 représentations qui en sont données au Théâtre-Français au XIXᵉ siècle succèdent, pour le XXᵉ siècle, 104 représentations. Les premières ont lieu dès 1902, où *Rodogune* est reprise
le 6 juin, jour anniversaire de la naissance de Corneille, dans
des décors et des costumes orientaux, bien dans le goût du
temps, et dans une distribution qui impose trois grands interprètes. Face à l'Antiochus très subtil d'Albert Lambert, tour à
tour terrifié et touchant, et jouant à plein de sa séduction
vocale, la Cléopâtre d'Adeline Dudlay fait valoir une force
intérieure tendue qui trouve à se mesurer avec une rivale de sa
taille, la Rodogune de Segond-Weber, actrice puissante, à la voix
profonde et au phrasé déclamatoire, qualités qui, d'ailleurs, la
poussent plutôt vers le rôle de Cléopâtre, dans lequel elle va
rapidement se spécialiser et qu'elle va interpréter jusqu'à la
fin de sa carrière.

C'est elle qui tient le rôle de la reine lors de la reprise de
1926, toujours face à Albert Lambert-Antiochus, mais face
cette fois-ci à la Rodogune passionnée de Madeleine Roch. Le
décor assyrien — une immense salle à colonnes et à plafond à
caissons, décorée de fresques et de sculptures et s'ouvrant sur
l'extérieur, avec, en plein milieu, un trône dressé entre deux
colonnes aux lourds chapiteaux — traduit à la fois la majesté
des lieux et la lutte pour le pouvoir qui les hante. Segond-
Weber y interprète Cléopâtre avec une variété de nuances, de
la feinte douceur à la violence la plus féroce, où elle fait passer, selon le compte rendu du *Jour* en date du 1ᵉʳ septembre
1934, un « souffle surhumain ». Elle reprend encore le rôle le
6 juin 1939, pour le 333ᵉ anniversaire de Corneille, dans une

mise en scène revue par Jean Hervé, qui tient désormais le rôle d'Antiochus après avoir été Séleucus treize ans plus tôt, tandis que Henriette Barreau interprète, avec une douceur qui paraît un peu mièvre, Rodogune. Mais lorsque Segond-Weber se retire, sa disparition marque la disparition d'un style de jeu — celui des "grandes tragédiennes" — qui a si long-temps marqué le rôle de Cléopâtre, et qui a fait résonner haut et fort ce que Gide, dans son *Journal* du 21 mars 1930, où il se montre par ailleurs très admiratif pour la pièce qu'il vient de relire et notamment pour son « presque admirable cinquième acte », appelle « des amoncellements de rhétorique presque insupportables ».

Dans la seconde moitié du siècle, le retour amorcé vers les grands spectacles baroques et le goût des monstres, tant moraux que stylistiques, qu'ils privilégient, vont marquer un retour en grâce de la tragédie. Cela se manifeste d'abord, dans les années 1960, par deux créations importantes, la première au Théâtre Sarah-Bernhardt où, dans une mise en scène d'Antoine Bour-seiller, à la tonalité résolument barbare, la prestigieuse Edwige Feuillère s'essaie au rôle de Cléopâtre. Dans des décors et des costumes de Pace stylisés à l'orientale, la tête altière ceinte d'une sorte de casque à l'égyptienne, la comédienne, par un jeu proprement halluciné, fait valoir une violence sèche et une morgue cynique face à la Rodogune fragile de Chantal Darget. Peu après, en 1965, la Comédie-Française reprend la pièce, dans une mise en scène de Jacques Eyser. Le décor et les costumes à l'orientale signés Jean-Marie Simon sont ici plus chargés (y compris dans les coiffures, que la critique qualifie unanimement de "à la Beatles"), les jeux d'ombre et de lumière qui éclairent une salle du trône sombre et rou-geâtre accentuent la dramatisation, et l'interprétation, où l'on remarque l'Antiochus inquiet et tendu de Simon Eine et la figure de vieux sage de Michel Etcheverry en Timagène, oppose la Cléopâtre hagarde de Louise Conte à la Rodogune tou-chante et qui se défend vaillamment de Bérangère Dautun.

Si ces deux belles mises en scène remettent *Rodogune* en lumière, la véritable réinterprétation de la pièce et son inser-tion dans le goût baroque des grandes scénographies datent de 1975 et de la mise en scène que propose Henri Ronse au Petit-Odéon. Tout ici concourt à faire de la pièce un drame violent, proche même de ces grands mélodrames romanesques que sont les opéras à l'italienne : symétries structurelles des personnages et de l'action exprimées par des moyens chorégraphiques, réunion des rôles de confidents dans un chœur formé d'une comédienne et d'un comédien noirs, décor et costumes de Béni Montrésor débordant de prolixité flamboyante, éblouissante robe pailletée d'or d'une Cléopâtre interprétée par Josette Boulva avec une sorte de grandeur sauvage, face à la Rodogune également violente d'Elizabeth Tamaris, diction redonnant au texte toute son ampleur rhétorique... *Rodogune* retrouve ici sa force spectaculaire, laissant apparaître sous le raffinement de la langue et des manières la brutalité primitive des êtres.

Cette mise en scène ouvre la voie aux diverses reprises qui ont, en quelques années, ramené la pièce sur le devant de la scène, lui redonnant une vitalité théâtrale qu'elle avait perdue depuis plus d'un siècle. Entre 1997 et 2001, quatre mises en scène successives en font même la pièce de Corneille la plus jouée dans les années de fin de siècle. C'est d'abord, en 1997, au Petit-Montparnasse, dans un décor et des costumes de Claude Lemaire, la mise en scène d'Arlette Téphany, laquelle se réserve le rôle de Cléopâtre, face à la Rodogune de Cécilia Hornus et à l'Antiochus de Pierre-Arnaud Juin. C'est ensuite, plus prestigieuse, la reprise à la Comédie-Française en 1998 : la mise en scène y est signée Jacques Rosner, dans un décor ocre de palais oriental conçu par Roberto Plate et dans des costumes d'Emmanuel Peduzzi au fort symbolisme politique (voir préface p. 26), où Cléopâtre apparaît vêtue et gantée d'un rouge cardinalice qui évoque le pouvoir de Richelieu, tandis qu'en fond sonore on entend la mer et les rumeurs d'une foule méditerranéenne. Sous les yeux de la Laonice de Catherine Samie, s'affronte la nouvelle garde du Théâtre-Français : Jean-Pierre Michaël en Antiochus, Laurent d'Olce en Séleucus, tous deux élégants et fragiles, face à Martine Chevallier dont la force déclamatoire quasi hystérique donne à Cléopâtre un caractère tout à la fois violent et roué, tandis que, toute de grâce et de subtilité, Cécile Brune compose une Rodogune qui entend bien ne rien céder à sa rivale. C'est encore, en 2000, au Vingtième Théâtre, la mise en scène de Francis Sourbié, créateur aussi du décor et des costumes, qui offre le piquant affrontement de deux comédiennes à la fois de théâtre et de cinéma, Nadine Alari-Cléopâtre et Ann-Gisèle Glass-Rodogune. C'est enfin, plus modeste mais non moins intéressante, la mise en scène proposée en 2001 au théâtre du Nord-Ouest, dans le cadre d'une intégrale Corneille, par Evanthia Cosmas et Franck Clément, qui interprètent par ailleurs respectivement Cléopâtre et Antiochus. Sorte de mise en espace stylisée, avec décor et costumes minimalistes, la pièce, jouée dans un lieu souterrain et dans une ambiance pesante de caveau, prend des allures de *cérémonie funèbre* et, rompant avec les amples fresques orientalisantes, choisit la lumière sombre d'un clair-obscur caravagesque pour éclairer du noir de la pathologie ce qui est bien la plus noire des tragédies cornéliennes.

BIBLIOGRAPHIE

1/ Éditions

Pour l'ensemble de l'œuvre de Corneille, on se reportera aux éditions de :

Marty-Laveaux : Corneille, *Œuvres complètes*, Hachette, coll. des « Grands Écrivains de la France », 1862-1868, 12 vol.

Georges Couton : Corneille, *Œuvres complètes*, Gallimard, « Bibliothèque de la Pléiade », 1980-1987, 3 vol.

Parmi les éditions séparées de la pièce, on retiendra :

Pierre Corneille, *Rodogune*, édition critique publiée par Jacques Scherer, Droz, Textes Littéraires Français, 1946.

Pierre Corneille, *Rodogune*, texte présenté par Françoise Bonneau dans la mise en scène de Jacques Eyser à la Comédie-Française, Hachette, 1969.

2/ Études générales sur le théâtre au XVIIᵉ siècle

Antoine Adam, *Histoire de la littérature française au XVIIᵉ siècle*, Domat, 1948-1956, 5 vol.

Sophie Wilma Deierkauf-Holsboer, *L'Histoire de la mise en scène dans le théâtre français à Paris de 1600 à 1673*, Nizet, 1960.

Christian Delmas, *La Tragédie de l'âge classique. 1553-1770*, Seuil, 1994.

Pierre Larthomas, *Le Langage dramatique*, Armand Colin, 1972.

Jacques Morel, *La Tragédie*, Armand Colin, 1964.

Jean ROHOU, *La Tragédie classique (1550-1793). Théorie, histoire,* anthologie, Sedes, 1996.

Jacques SCHERER, *La Dramaturgie classique en France*, Nizet, 1959.

Jacques TRUCHET, *La Tragédie classique en France*, P.U.F., 1975.

3/ Études générales sur le théâtre de Corneille

Actes du Colloque de Rouen (octobre 1984), éd. Alain Niderst, P.U.F., 1985.

Paul BÉNICHOU, *Morales du Grand Siècle*, Gallimard, 1948.

Georges COUTON, *Corneille et la tragédie politique*, P.U.F., 1984.

Maurice DESCOTES, *Les Grands Rôles du théâtre de Corneille*, P.U.F., 1962.

Bernard DORT, *Corneille dramaturge*, L'Arche, 1972.

Serge DOUBROVSKY, *Corneille et la dialectique du héros*, Gallimard, 1963.

Georges FORESTIER, *Essai de génétique théâtrale. Corneille à l'œuvre*, Klincksieck, 1996. — *Corneille. Le sens d'une dramaturgie*, Sedes, 1998.

Marc FUMAROLI, *Héros et orateurs. Rhétorique et dramaturgie corné-liennes*, Genève, Droz, 1990.

Louis HERLAND, *Corneille par lui-même*, Le Seuil, 1954.

Jean-Claude JOYE, *Amour, pouvoir et transcendance chez Pierre Corneille*, Berne, Peter Lang, 1986.

Jacques MAURENS, *La Tragédie sans tragique. Le néo-stoïcisme dans l'œuvre de P. Corneille*, Armand Colin, 1966.

Octave NADAL, *Le Sentiment de l'amour dans l'œuvre de P. Corneille*, Gallimard, 1948.

Germain POIRIER, *Corneille et la vertu de prudence*, Genève, Droz, 1984.

Michel PRIGENT, *Le Héros et l'État dans la tragédie de Pierre Corneille*, P.U.F., 1986.

Jacques SCHERER, *Le Théâtre de Corneille*, Nizet, 1984.

André STEGMANN, *L'Héroïsme cornélien. Genèse et signification*, Armand Colin, 1968, 2 vol.

Marie-Odile SWEETSER, *La Dramaturgie de Corneille*, Genève, Droz, 1977.

Han VERHOEFF, *Les Grandes Tragédies de Corneille. Une psycholec-ture*, Minard, 1982.

4/ Études portant sur *Rodogune*

Dans les années 1940-1950, quelques études importantes ont été consacrées à *Rodogune*, qui en ont renouvelé l'approche :

Louis HERLAND, « À propos de *Rodogune* », *R.H.L.F.*, n° 1, 1951.

René JASINSKI, « Psychologie de Rodogune », *R.H.L.F.*, n° 3 et 4, 1949 — « Le sens de *Rodogune* », *Mélanges Mornet*, 1951.

Octave NADAL, « L'exercice du crime chez Corneille », *Mercure de France*, 1er janvier 1951.

Depuis, les études se sont multipliées. Comme elles sont très nombreuses, on n'a retenu ici que les plus importantes parues depuis 1970 :

COLLECTIF, *Lectures de Corneille. Cinna, Rodogune, Nicomède.* (Articles de Jean Rohou, Derek A. Watts, Marie-Odile Sweetser, Simone Dosmond, Alain Couprie, Michel Bouvier, Dominique Moncond'huy, Suzanne Guellouz), éd. Daniel Riou, Presses universitaires de Rennes, 1997.

COLLECTIF, *Corneille. Cinna, Rodogune, Nicomède.* (Articles de Pierre Ronzeaud, Hélène Merlin, Georges Forestier, Pierre Pasquier, Liliane Picciola, Jean Emelina, Christian Biet, Hélène Baby, Emmanuel Minel, Dominique Moncond'huy), *Littératures classiques*, n° 32, 1998.

Ralph ALBANESE Jr., « Nomination et identité dans *Rodogune* », *Romanic Review*, janvier 1986.

Paul BÉNICHOU, « Formes et significations dans la *Rodogune* de Corneille », *Le Débat*, n° 31, 1984.

André BLANC, « Corneille et l'économie du temps d'après *Rodogune, Héraclius* et *Nicomède* », XVIIe *Siècle*, n° 190, 1996.

Marc FUMAROLI, « Tragique chrétien et tragique païen dans *Rodogune* », *Revue des Sciences Humaines*, n° 152, 1973. — « Apologie pour Rodogune », *Rodogune* de Pierre Corneille, mise en scène d'Henri Ronse, Collection « Théâtre oblique », 1975.

Jean-Luc GALLARDO, *Les Délices du pouvoir. Corneille, Cinna, Rodogune, Nicomède*, Orléans, Paradigme, 1997.

André GEORGES, « Le personnage de Rodogune dans *Rodogune, princesse des Parthes* », *Les Lettres romanes*, février-mai 1981. — « L'Amour courtois dans *Rodogune* de Corneille », *Littératures*, n° 22, 1990.

Jean GOLDZINK et Michèle ROSELLINI, « *Rodogune*, mortels miroirs », *Les Cahiers de la Comédie-Française*, n° 26, hiver 1997-1998.

Christopher J. GOSSIP, « The problem of *Rodogune* », *Studi francesi*, n° 12, 1978.

Jean-Pierre LANDRY, « Le double et ses variations dans *Cinna, Rodogune* et *Nicomède* », *L'École des Lettres*, Second cycle, 11, 1998.

Thérèse LASSALLE-MARAVAL, « Pouvoir et parenté dans *Cinna, Rodogune* et *Nicomède*. Variation sur un rapport conflictuel », *L'École des Lettres*, Second cycle, 11, 1998.

Hélène MERLIN, « *Cinna, Rodogune, Nicomède* : le roi et le *moi* », *Littératures*, n° 37, 1997.

Jan MIERNOWSKI, « Le plaisir tragique de la haine. *Rodogune* de Corneille », *R.H.L.F.*, n° 4, 2003.

Odette de MOURGUES, « *Rodogune*, tragédie de la Renaissance », in *Pierre Corneille, Actes du Colloque de Rouen*, P.U.F., 1985.

Thomas G. PAVEL, « *Rodogune*, jeu rituel », *Littérature*, n° 71, 1988. — « *Rodogune* : Women as Choice Masters », *Actes de Davis*, Biblio 17, 1988.

Joseph PINEAU, « Profondeur de Corneille. Cléopâtre mère malgré elle », *Studi francesi*, n° 21, 1977.

Gervais E. REED, « Visual imagery and Christian humanism in *Rodogune* », *French Review*, février 1990.

Gilles REVAZ, « La "veuve captive" dans la tragédie classique », *R.H.L.F.*, n° 2, 2001.

Doreena Ann STAMATO, « Le renversement symétrique des rôles masculins et féminins dans les pièces *Rodogune* et *Horace* », *P.F.S.C.L.*, XVI, n° 31, 1989.

Laurent THIROUIN, « La méchanceté de Cléopâtre. Problèmes théoriques », *L'École des Lettres*, Second cycle, 11, 1998.

Derek A. WATTS, « A further look at *Rodogune* », *Ouverture et Dialogue, Mélanges Leiner*, Tübingen, Gunther Narr, 1988 (trad. in coll. *Lectures de Corneille, op. cit.*, 1997).

NOTE SUR LE TEXTE

Le texte de *Rodogune* a été publié en 1647. Le titre complet de cette première édition est :

RODOGUNE / PRINCESSE DES PARTHES / Tragédie. / Imprimé à Rouen, et se vend / À PARIS / Chez Toussaint Quinet, au Palais, / sous la montée de la cour des Aides. / M.DC.XLVII / AVEC PRIVILÈGE DU ROI.

Cette édition, in-4°, constitue l'édition originale. La même année, une édition in-12° a été publiée chez le même éditeur. Les différences entre les deux éditions sont minimes. En revanche, Corneille est revenu plusieurs fois sur son texte dans les différentes éditions collectives où celui-ci figure : 1648, 1652, 1654, 1655, 1656, 1660, 1663, 1664, 1668 et 1682. Nous reproduisons le texte de la dernière édition revue par l'auteur en 1682, en signalant en notes les principales variantes.

NOTES

Nous avons principalement fait appel, pour définir le sens des mots, aux trois grands dictionnaires du XVIIᵉ siècle, désignés par les lettres :

— A : *Dictionnaire de l'Académie française*, 1694.
— F : Furetière, *Dictionnaire universel*, 1690.
— R : Richelet, *Dictionnaire français*, 1680.

Toutes les citations de Corneille renvoient à l'édition des *Œuvres complètes* procurée par Georges Couton dans la « Bibliothèque de la Pléiade » : t. I, 1980 ; t. II, 1984 ; t. III, 1987, et désignée ici par les lettres *O.C.*

DÉDICACE

Page 39.

1. Cette épître au Prince de Condé (Louis II, « le Grand Condé » — 1621-1686) figure dans les éditions de la pièce jusqu'en 1660, où elle est supprimée.

Page 40.

1. Corneille rappelle l'essentiel de la carrière militaire déjà prestigieuse de Condé, alors âgé de 26 ans, et notamment la série de victoires qu'il a remportées dans les jours et les mois qui ont suivi la mort de Louis XIII, décédé le 14 mai 1643, et qui ont effacé les défaites subies en ces mêmes lieux sous le règne du défunt roi : Rocroi (19 mai 1643), Thionville

(10 août 1643), Philippsbourg (9 septembre 1644), Nordlingen (3 août 1645), Dunkerque (7 octobre 1646). Ces victoires honorent ainsi « deux règnes tout à la fois », en lavant l'affront des revers du règne de Louis XIII et en apportant la gloire au règne présent.

Page 41

1. *Protestation* : de protester, « promettre quelque chose avec serment » (R).

AVERTISSEMENT

Page 42.

1. Cet avertissement ne figure que dans l'édition originale de 1647 et dans les éditions collectives de 1652 et 1655. Appien d'Alexandrie est un historien grec, auteur au IIe siècle ap. J.-C. d'une *Histoire romaine* en 24 livres, dont ne subsistent que des fragments. Parmi ceux-ci figure le *Livre des guerres de Syrie*, dont une traduction avait été donnée par Claude de Seyssel en 1569. Mais Corneille propose ici sa propre traduction.

2. *Domestique* : servant. Désigne une personne attachée à la maison d'un grand et qui y exerce une fonction d'une certaine importance.

Page 43.

1. Cette citation est extraite des chapitres LXVII-LXIX des « Affaires » ou « Guerres de Syrie » d'Appien d'Alexandrie.

2. *Circonstances* : détails, particularités. La Bruyère recommande d'apprendre un texte de mémoire : « Songez surtout à en pénétrer le sens dans toute son étendue et dans ses circonstances » (*Caractères*, « De quelques usages », 72).

3. *Étrange* : « Extraordinaire » (R).

4. Après *quoique*, le subjonctif est usuel au XVIIe siècle dans la subordonnée ; mais, comme le note Nathalie Fournier (*Grammaire du français classique*, Belin, 1998, p. 359), « il est toutefois fréquent de trouver l'indicatif ; la subordonnée est alors traitée comme une énonciation indépendante avec son assertion propre ».

Page 44.

1. Corneille développera plus longuement ces explications dans son *Discours de la tragédie* en 1660 : « Après que Cléopâtre eut tué Séleucus, elle présenta du poison à son autre fils Antiochus à son retour de la chasse, et ce prince soupçonnant ce qui en était, la contraignit de le prendre, et la força à s'empoisonner. Si j'eusse fait voir cette action sans y rien changer, c'eût été punir un parricide par un autre parricide ; on eût pris aversion pour Antiochus, et il a été bien plus doux de faire qu'elle-même, voyant que sa haine et sa noire perfidie allaient être découvertes, s'empoisonne dans son désespoir à dessein d'envelopper ces deux amants dans sa perte, en leur ôtant tout sujet de défiance. Cela fait deux effets. La punition de cette impitoyable mère laisse un plus fort exemple, puisqu'elle devient un effet de la justice du Ciel, et non pas de la vengeance des hommes ; d'autre côté Antiochus ne perd rien de la compassion, et de l'amitié qu'on avait pour lui, qui redoublent plutôt qu'elles ne diminuent » (*O.C.*, t. III, p. 160).

2. *Feindre* : « Signifie aussi Inventer » (A).

3. *Avoue* : authentifie. « Signifie aussi Reconnaître une chose pour sienne » (A).

4. *Préoccuper* : « Prévenir l'esprit de quelqu'un en lui donnant quelque impression qu'il est difficile de lui ôter. Il se prend toujours en mauvaise part » (A).

5. *Idée* : « Image qui se forme dans notre esprit » (R).

6. *Reine d'Égypte* : Cléopâtre, la plus célèbre des souveraines égyptiennes, reine de 51 à 30 av. J.-C. Elle figure au côté de César et d'Antoine dans une autre tragédie de Corneille, *La Mort de Pompée*.

7. *Médée* : la magicienne qui, pour se venger de l'abandon de Jason, égorgea ses enfants. Elle est l'héroïne éponyme de la première tragédie de Corneille.

8. *Les Trachiniennes* : le titre de la tragédie renvoie au chœur des jeunes filles de Trachis, amies de Déjanire, la femme d'Héraklès.

Page 45.

1. *Héraclius* est de la saison 1646-1647, tout juste antérieure à la date de publication de *Rodogune*, dont l'achevé d'imprimer est du 31 janvier 1647.

2. La pièce est plus communément appelée *Iphigénie en Tauride*.

3. *Supposa* : substitua. « Signifie aussi Mettre une chose à la place d'une autre par fraude ou tromperie » (F).

4. *Justin* : historien latin du IIᵉ siècle ap. J.-C., auteur d'une *Histoire universelle*, abrégé d'une œuvre, aujourd'hui perdue, d'un autre historien, Trogue Pompée, contemporain d'Auguste.

Page 46.

1. Quatre livres de l'*Ancien Testament* portent le nom de *Livres des Maccabées*, dont les deux premiers seuls sont reconnus comme canoniques par l'Église. Le premier rapporte l'histoire du peuple juif de 174 à 135 av. J.-C.

2. *Josèphe* : Flavius Josèphe, historien juif, né à Jérusalem (37-100 ap. J.-C.), auteur des *Antiquités judaïques*.

EXAMEN

Page 47.

1. L'Examen se trouve dans l'édition de 1660 et remplace à partir de là l'épître « À Monseigneur ».

Page 48.

1. *L'effet* : le terme a manifestement ici un emploi qui relève de la critique dramatique. Corneille l'avait déjà utilisé dans ce sens dans la Préface puis dans l'Examen de *Clitandre*. Le rapprochement avec ces deux autres occurrences incite à lui donner moins le sens de « dénouement » que celui d'« épisode pathétique », avec valeur de morceau de bravoure et de coup de théâtre.

2. Dans *Le Discours de la tragédie*. Voir n. 1 de la p. 44.

3. *Poèmes* : poèmes dramatiques, pièces de théâtre.

Page 49.

1. *Passe* : dépasse. Cf. *Sertorius* : « Je cherche un autre époux qui le passe, ou l'égale » (v. 1553).

2. Dans le *Discours des trois unités*, Corneille envisage successivement l'unité d'action dans *Rodogune* (*O.C.*, t. III, p. 175),

puis l'unité de temps — et il évoque en particulier le « grand ornement [qu'est] pour un poème le choix d'un jour illustre, et attendu depuis quelque temps [...]. Dans *Rodogune* c'est un jour choisi par deux souverains, pour l'effet d'un traité de paix entre leurs couronnes ennemies, pour une entière réconciliation de deux rivales par un mariage, et pour l'éclaircissement d'un secret de plus de vingt ans, touchant le droit d'aînesse entre deux princes gémeaux, dont dépend le royaume et le succès de leur amour » (p. 186) — et enfin l'unité de lieu (p. 188).

Page 50.

1. Allusion aux critiques de l'abbé d'Aubignac dans sa *Pratique du théâtre*, lequel reproche à Corneille la convention qui consiste à répéter ce que l'acteur présent sait déjà : « Ce défaut est sensible dans *Rodogune*, où Timagène feint de ne savoir qu'une partie de l'histoire de cette princesse, et où tout ce qu'on lui répète sommairement et ce qu'on lui conte est après expliqué assez clairement par les divers sentiments des acteurs ; si bien que cette narration n'était même pas nécessaire ; outre qu'il n'est pas vraisemblable que ce Timagène, qui avait été à la cour du roi d'Égypte avec les deux princes de Syrie, eût ignoré ce qu'on lui conte qui n'est rien qu'une histoire publique. »

2. *Donner les mains* : « On dit fig. Donner les mains à quelque chose, pour dire : Y consentir, y condescendre » (A).

3. *Personnage protatique* : personnage qui apparaît dans la protase, c'est-à-dire l'exposition.

4. Dans le *Discours de l'utilité et des parties du poème dramatique*, Corneille explique que Térence « a introduit une nouvelle sorte de personnages, qu'on a appelés protatiques, parce qu'ils ne paraissent que dans la protase, où se doit faire la proposition et l'ouverture du sujet [...]. Tels sont Sosie dans son *Andrienne*, et Davus dans son *Phormion*, qu'on ne revoit plus après la narration, et qui ne servent qu'à l'écouter » (*O.C.*, t. III, p. 138).

Page 51.

1. *En* : de Corinthe.

2. *Ne laisse pas* : ne cesse pas, ne manque pas. « Se dit aussi

quelquefois dans la signification de Cesser, s'abstenir, discontinuer, et alors il ne s'emploie jamais qu'avec la négative » (A).

3. *Ailleurs* : dans l'Examen de *Médée*, où Corneille évoque le cas de Pollux, qui « est de ces personnages protatiques qui ne sont introduits que pour écouter la narration du sujet [...]. Ces personnages sont d'ordinaire assez difficiles à imaginer dans la tragédie, parce que les événements publics et éclatants dont elle est composée sont connus de tout le monde, et que s'il est aisé de trouver des gens qui les sachent pour les raconter, il n'est pas aisé d'en trouver qui les ignorent pour les entendre » (*O.C.*, t. I, p. 538).

Page 52.

1. *Lieu* : « Occasion, sujet, raison » (R).
2. *À* : pour.

Page 53.

1. *Commettre* : « On dit Commettre deux personnes l'une avec l'autre, pour dire : Les brouiller, les mettre mal ensemble » (A).
2. Dans les éditions de 1660 et 1663, la phrase était : « ce juste sentiment de reconnaissance pour le bien des deux États ».

Page 54.

1 *Parricide* : « Celui qui tue son père. Il se dit aussi par extension de celui qui a tué sa mère, son frère, sa sœur, ses enfants, etc. » (A). Le terme désigne ici le meurtre du fils par la mère.
2. Dans le *Discours de la tragédie*. Voir n. 1 de la p. 44.
3. Corneille développe ce point dans le *Discours de l'utilité et des parties du poème dramatique* : « Il [Antiochus] ne pourrait dire de douceurs à Rodogune qui ne fussent de mauvaise grâce, dans l'instant que sa mère se vient d'empoisonner à leurs yeux, et meurt dans la rage de n'avoir pu les faire périr avec elle » (*O.C.*, t. III, p. 126).

Page 55.

1. Les éditions de 1647 et 1652-1656 précisent : TIMAGÈNE, gentilhomme syrien, confident des deux princes.
2. *Séleucie* : capitale fondée en Mésopotamie, sur le Tigre, par Séleucus Ier Nicanor.

Page 57

1. *Pompeux* : triomphal, grandiose, « magnifique » (R). Sur le choix de ce jour, voir les explications de Corneille, n. 2 de la p. 49.

2. *Nous luit* : brille pour nous. Luire : « Briller, paraître » (R).

3. *Intelligence* : « Signifie aussi Union, amitié de deux ou plusieurs personnes qui s'entendent bien, qui n'ont aucun différend » (F). Les éditions de 1647-1656 donnent pour ces vers une variante :

« *Des Parthes avec nous remet l'intelligence,*

Affranchit leur princesse, et nous fait pour jamais » (v. 4-5).

4. *Gémeaux* : « Frère besson. On prononce maintenant jumeau » (F). Vaugelas, dans ses *Remarques sur la langue française* (1647), blâme l'emploi du mot autrement qu'au pluriel et pour désigner le signe du zodiaque.

5. *Admirez* : « Regarder avec étonnement quelque chose de surprenant ou dont on ignore les causes » (F).

Page 58.

1. *Gêner* : « Donner la gêne (= la torture), la question. Signifie plus communément : Tourmenter le corps ou l'esprit » (F).

2. *Donner la main* : « Promettre la foi du mariage » (F).

3. *Succès* : « Issue d'une affaire. Il se dit en bonne et mauvaise part » (F).

4. Variante des éditions de 1647-1656 :

« *Quand poursuivant le Parthe, et ravageant sa terre,*

Il fut, de son vainqueur, son prisonnier de guerre.

Je n'ai pas oublié... » (v. 27-29).

5. *Désolée* : laissée seule, abandonnée (du latin *desolare*, rendre absolument seul, isoler).

6. Variante des éditions de 1647-1656 :

« *La Reine succombant sous de si prompts orages*

En voulut à l'abri mettre ses plus chers gages,

Ses fils encore enfants, qui par un sage avis

Passèrent en Égypte où je les ai suivis.

Là, nous n'avons rien su... » (v. 35-39).

7. *Ces seules murailles*: celles de Séleucie, où se déroule l'action.

8. *Tôt*: «Promptement, vite» (A).

Page 59.

1. Variante des éditions de 1647-1656:

> «... *diversement semée*
> *Changeant de bouche en bouche, au lieu de vérités*
> *N'a porté jusqu'à nous que des obscurités.*
>
> LAONICE
>
> *Sachez donc qu'en trois ans gagnant quatre batailles*
> *Tryphon nous réduisit à ces seules murailles,*
> *Les assiège, les bat, et pour dernier effroi*
> *Il s'y coule un faux bruit touchant la mort du Roi*» (v. 40-46).

2. Variante des éditions de 1647-1656:

> «*Presse et force la Reine à choisir un époux*» (v. 49).

3. *Son frère*: le frère de son mari, Antiochus Sidétès, à ne pas confondre avec l'autre Antiochus, le fils de Cléopâtre et tout à la fois le neveu et le beau-fils du second époux de sa mère.

4. *Conseil*: «Signifie quelquefois Résolution» (F).

5. *Heur*: «Bonne fortune» (A).

6. *Alarmes*: «Émotion [= grand trouble] causée par les ennemis» (A).

7. Variante des éditions de 1647-1656:

> «*Semble de tous côtés traîner l'heur avec soi,*
> *La victoire le suit avec tant de furie*
> *Qu'il se voit en deux ans maître de la Syrie,*
> *Et la mort de Tryphon dans un dernier combat*
> *Termine enfin la guerre et lui rend tout l'État*» (v. 54-58).

8. *Au trône*: sur le trône.

9. Variante des éditions de 1647-1656:

> «*Ayant régné sept ans sans trouble, et sans alarmes,*
> *La soif de s'agrandir lui fait prendre les armes,*
> *Il attaque le Parthe, et se croit assez fort*
> *Pour venger de son frère et la prise et la mort.*
> *Jusque dans ses États il lui porte la guerre,*
> *Il s'y fait partout craindre à l'égal du tonnerre,*
> *Il lui donne bataille...*» (v. 63-69).

10. Les éditions de 1682 et de 1692 (celle-ci due à Thomas Corneille) donnent ici comme didascalie: *Il.*

Page 60.

1. Variante des éditions de 1647-1656 :
« *les nœuds d'amitié / Font* ».
2. *Rompre le coup* : éviter, déjouer (terme d'escrime).
3. *Déplaisir* : « Chagrin, tristesse » (F). Le terme désigne une souffrance morale très forte.

Page 61.

1. *Objet* : « Se dit aussi poétiquement des belles personnes qui donnent de l'amour » (F).
2. Variante des éditions de 1647-1656 :
« *S'il ne la préférait à tout ce qu'elle donne,*
Qui renonçant pour elle à cet illustre rang,
La voudrait acheter encor de tout son sang » (v. 100-102).

Page 62.

1. Voir n. 5 de la p. 59.

Page 63.

1. Variante des éditions de 1647-1656 :
« *Vous l'appelez une offre, en effet c'est choisir,*
Et cette même main… » (v. 130-131).
2. *Ils* : Timagène et Laonice, qui assistent à la scène.
3. *Die* : forme ancienne du subjonctif, encore fréquente au XVIIe siècle à la place de *dise*.
4. Variante des éditions de 1647-1656 :
« *Elle vaut à mes yeux tous les trônes d'Asie* » (v. 136).
5. Variante des éditions de 1647-1656 :
« *J'espérais que l'éclat qui sort d'une couronne*
Vous laisserait peu voir celui de la personne » (v. 139-140).

Page 64.

1. *Déplorable* : « Digne de compassion, de pitié » (A). Le *Dictionnaire de l'Académie* précise qu'« il ne se dit que des choses », mais l'adjectif s'emploie en réalité souvent avec les noms de personnes.
2. *Triste* : funeste, douloureuse (du latin *tristis*, de mauvais augure, d'où fatal, cruel).
3. *Courage* : cœur. « Il se prend aussi quelquefois pour Sentiment, passion, mouvement » (A).

Page 65.

1. *Où* : «Signifie aussi Dans lequel et Auquel, tant au féminin qu'au masculin et tant au pluriel qu'au singulier.» Vaugelas note, dans ses *Remarques sur la langue française* (1647), qu'il remplace «de façon élégante et commode» n'importe quelle préposition suivie du relatif.

2. *Conseil* : voir n. 4 de la p. 59.

3. *Thèbes et Troie* : allusion à la rivalité fratricide d'Étéocle et de Polynice, cause du siège de Thèbes, et à la rivalité amoureuse de Pâris et de Ménélas, cause du siège de Troie.

4. Variante des éditions de 1647-56 :

«... et saccagea l'Asie,
Nous avons même droit sur un trône douteux,
Pour la même beauté nous soupirons tous deux,
Thèbes périt pour l'un, Troie a brûlé pour l'autre,
Et tout tombe en ma main, ou tout tombe en la vôtre,
En vain notre amitié les voulait partager» (v. 176-181).

5. *Ce double intérêt* : cette question qui nous concerne tous les deux.

Page 66.

1. *Dans leur perte* : si nous les perdons (le trône et l'amour)

2. *Suborneur* : séducteur, corrupteur.

3. *L'étreindre* : resserrer les liens de l'amitié.

Page 68.

1. *Sa sœur* : la sœur du roi des Parthes, Phraates, vainqueur de Nicanor.

2. *Envoie* : dépêche des messagers.

3. *Indignité* : «Affront, injure, outrage et excès faits à quelqu'un» (F).

4. *Prévenir* : devancer, «être le premier à faire la même chose» (F).

Page 69.

1. *Gêner* : voir n. 1 de la p. 58.

2. *Commettait* : «Confier quelque chose à la prudence, à la fidélité de quelqu'un» (F).

3. *A décampé* : «Lever le camp» (A).

4. *Notre appui* : d'ennemi il s'est transformé en allié.

5. *Gouvernez* : « Se dit fig. pour dire Avoir crédit sur l'esprit de quelqu'un » (F). Laonice, dont la liste des acteurs précise bien qu'elle est la confidente de Cléopâtre, n'est pas la gouvernante de Rodogune mais a avec elle des rapports de conseil et de confiance.

Page 70.

1. *Mal propre* : mal approprié, peu « convenable » à.. (A).

Page 71.

1. *Amusement* : diversion. « Est aussi une espèce de tromperie que font ceux qui pour gagner du temps font de belles promesses, qui donnent de belles espérances » (F).

2. *L'état* : « La condition de la personne, en tant qu'elle est noble ou roturière » (A). Rodogune, de princesse parthe prisonnière, va devenir reine de Séleucie.

3. *Attentats* : violences.

4. Variante des éditions de 1647-1656 :
> « ... *et je crains cette crainte.*
> *Non pas que mon esprit justement irrité*
> *Conserve à son sujet quelque animosité,*
> *Au bien des deux États je donne mon injure ;*
> *Mais une grande offense...* » (v. 316-320).

5. *Où força son courage* : Auquel (voir n. 1 de la p. 65) un époux infidèle força son cœur (voir n. 3 de la p. 64).

6. *Je me dispensais* : je m'autorisais.
Variante des éditions de 1647-1656 :
> « *Il fallait un prétexte à s'en pouvoir dédire,*
> *La paix le vient de faire, et s'il vous faut tout dire,*
> *Quand je me dispensais...* » (v. 335-337).

Page 72.

1. *Dissimulait* : « Faire semblant de ne voir pas ce qu'on voit » (F).

2. Variante des éditions de 1647-1656 :
> *Quoiqu'égaux en naissance et pareils en mérite* » (v. 355).

3. *Combattu* : « Il a l'esprit combattu, pour dire Agité de diverses pensées » (F).

Page 73.

1. *Chimère*: « Se dit fig. des vaines imaginations qu'on se met dans l'esprit, des espérances mal fondées que l'on conçoit, et généralement de tout ce qui n'est point réel et solide » (F).

2. Variante des éditions de 1647-56 :
   «*Et si du malheureux je deviens le partage*» (v. 375).

3. *Humeur*: « Se dit en morale des passions qui s'émeuvent en nous suivant la disposition ou l'agitation des quatre humeurs. Presque en ce sens, se dit de la résolution, de la disposition de l'esprit » (F).

4. *Foi*: fidélité, loyauté.

Page 74.

1. *Assurez-vous* soyez assurée de.

ACTE II

Page 75.

1. *Vains fantômes d'État*: vaines illusions de la raison d'État.
2. *Toutes deux*: moi et ma haine.

Page 76.

1. *Funeste*: « Qui cause la mort ou qui en menace » (F).
2. Variante des éditions de 1647-1656 :
   «*... et tremble pour toi-même.*
   Je l'ai trop acheté pour t'en faire un présent,
   Crains tout ce qu'on peut craindre en te désabusant» (v. 424-426).
3. Variante des éditions de 1647-1656 :
   «*Oui, Madame, avec joie, et les Princes tous deux*» (v. 429).

Page 77.

1. *Ascendant*: « Se dit en morale de l'inclination naturelle qui nous porte à faire quelque chose » (F). Laonice pense que les Syriens n'ont pas d'avis très arrêté et que la préférence que certains marquent pour l'un ou l'autre prince n'est qu'un premier mouvement sans conséquence.

2. *Nourri*: « Signifie aussi fig. Instruire, élever » (A).

3. *Je possède*: je suis maître, j'ai le pouvoir. Sens fort du verbe d'après son étymologie latine, *possidere*: se rendre maître de.

Page 78.

1. *Ce foudre* : cette menace. « Il est, dans le propre, masculin et féminin, mais plus féminin, et dans le figuré plus ordinairement masculin » (R).

2. Variante des éditions de 1647-1656 :
   « *Si content d'en jouir et de me dédaigner*
   Il eût vécu chez elle et m'eût laissé régner » (v. 465-466).

3. *Toi* : le pouvoir royal, ces « délices de [s]on cœur » auxquelles s'adresse Cléopâtre.

Page 79.

1. *Aux champs de Mars* : sur les champs de bataille, territoire de Mars, dieu de la guerre.

2. *Je dévale* : « Descendre » (F).

3. Variante des éditions de 1647-1656 :
   « *On n'aura point ce rang, dont la perte me gêne,*
   Qu'au lieu de ma rivale on n'épouse ma haine » (v. 499-500).

4. *Son frère* : la complexité des relations de sang, de sentiment et de pouvoir laisse ici deux possibilités d'identification. Ce frère (désigné ensuite au vers 512 par « il ») peut être tout aussi bien le frère d'Antiochus Sidétès, c'est-à-dire Nicanor, premier époux de Cléopâtre, voulant faire de Rodogune sa femme, que le roi des Parthes Phraates, frère de Rodogune, qui craint pour le sort de celle-ci prisonnière.

Page 81.

1. *De peur qu'il en prît* : de peur que le peuple prît un maître, il m'en fallut choisir un.

2. *Remplir* : occuper.

3. Variante des éditions de 1647-1656 :
   « … *trouverait un appui.*
   Je n'en fus point trompée, il releva sa chute,
   Mais par lui de nouveau mon sort me persécute,
   Ce trône relevé lui plaît à retenir,
   Il imite Tryphon qu'il venait de punir,
   Qui lui parle de vous irrite sa colère,
   C'est un crime envers lui que les pleurs d'une mère,
   Et de dépositaire… » (v. 542-549).

4. Variante des éditions de 1647-1656 :
   « *Que pour les dépouiller…* » (v. 556).

5. *Furie* : fureur. « *Fureur* marque l'agitation du dedans. *Furie* marque les violentes actions du dehors » (R).

Page 82.

1. Variante des éditions de 1647-1656 :
   « *Consumer sur mon chef les foudres mérités* » (v. 581).
2. *Travaux* : épreuves, tourments, « peine de l'esprit » (A).
3. *Charme* : « Faire quelque effet merveilleux par la puissance des charmes [= des enchantements magiques] » (F).
4. *Passer l'éponge, ou tirer le rideau* : renvoie doublement au « tableau » du vers précédent. En ce qui concerne l'éponge, « on dit proverbialement qu'on passe l'éponge sur une chose pour dire qu'on l'efface, parce que les peintres s'en servent pour effacer ce qu'ils ne trouvent pas bien » (F). Et pour ce qui est du rideau, c'est celui dont on recouvre, pour les cacher à la vue, « ces tableaux » scandaleux « sur lesquels on met des rideaux » dont parle La Fontaine dans « Le tableau » (in *Contes et nouvelles en vers*, Folio, p. 394).

Page 83

1. Variante des éditions de 1646-1656 ·
   « ... *tous deux sans déplaisir* » (v. 610)
2. *Étonne* : « Ébranler, faire trembler par quelque grande violente commotion » (A).
3. Variante des éditions de 1647-1663 :
   « ... *avec votre ennemie* » (v. 620).

Page 84.

1. *Charmé* : envoûté. Voir n. 3 de la p. 82.
2. *Par ma main* : Cléopâtre confirme ici qu'elle a elle-même tué Nicanor, ce que Laonice ne présentait que comme une rumeur, au vers 263. Elle justifie son acte par la puissance magique de Rodogune, qui l'aurait comme possédée et aurait fait d'elle l'exécutante d'un crime dont elle aurait été l'instigatrice.
3. *Cette amour* : féminin au singulier dans l'ancienne langue, *amour* tend à devenir masculin dès le XVIe siècle. Mais l'usage hésite encore, ce qui explique que Corneille puisse l'employer ici au féminin, alors qu'il le met au masculin trois vers plus loin (v. 634).

4. *Étonné* : ébranlé. Voir n. 2 de la p. 83.

5. *Qui* : qu'est-ce qui ? « Qui interrogatif se glose en français classique par "quel est l'objet du monde qui ?" et non, comme en français moderne, par "quelle est la personne qui ?" » (Nathalie Fournier, *Grammaire du français classique*, Belin, 1998, p. 206).

Page 85.

1. Variante des éditions de 1647-1660 :
   « *Mais, Madame, pensez que...* » (v. 661).

2. *Poudre* : poussière.

Page 86.

1. *Mégère* : une des trois Furies, avec Alecto et Tisiphone, déesses de la Vengeance.

2. *Rien* : « S'emploie aussi quelquefois pour signifier Quelque chose » (R). Le mot tient sa valeur positive de son étymologie latine : *rem* (= une chose).

Page 87.

1. *Ministère* : service. Un ministre est « celui dont on se sert pour l'exécution de quelque chose » (A).

2. *Stupide* : insensible, « dont l'âme paraît immobile et sans sentiment » (F).

3. *Parricide* : crime contre nature, au sens étendu du mot. Voir n. 1 de la p. 54.

4. Variante des éditions de 1647-1656 :
   « *Croyez-moi que l'amour...* » (v. 729).

5. *Nourrir* : « Signifie aussi Instruire, élever » (A).

Page 88.

1. *Fard* : dissimulation. « Signifie fig. toute sorte d'artifice dont on se sert pour dissimuler une chose et la faire paraître autre et plus belle qu'elle n'est en effet » (F).

2. Variante des éditions de 1647-1656 :
   « *... si nous osons le prendre,*
   Et pour user encor d'un terme plus pressant,
   Il est à l'un de nous, si l'autre le consent.
   Régnons, tout son effort ne sera que faiblesse » (v. 744-747).

3. *Conspire* : « Concourir, être unis d'esprit et de volonté pour uelque dessein bon ou auvais » (A).

ACTE III

Page 89.

1. *Comme* : « De quelle manière » (A).

Page 91.

1. *Adresse* : ruse, artifice.
2. *Moquée* : ridiculisée.

Page 92.

1. *Cœur* : « Signifie aussi Courage » (A).
Variante des éditions de 1647-1656 :
   « Si nous avions autant de forces que de cœur ! » (v. 822).
2. Variante des éditions de 1647-1656 :
   « Mais que peut de vos gens une faible poignée
   Contre tout le pouvoir d'une Reine indignée ?
   ORONTE
   Vous promettre que seuls ils puissent résister,
   J'aurais perdu le sens si j'osais m'en vanter,
   Ils mourront à vos pieds, c'est toute l'assistance
   Que peut à leur Princesse offrir leur impuissance.
   Mais doit-on redouter les hommes en des lieux
   Où vous portez le maître et des Rois et des Dieux ? » (v. 823-830)

Page 93.

1. *Appas* : « Amorce, charme. Ce qu'on emploie pour gagner ou pour attraper quelqu'un » (R).
2. *Affété* : « Qui parle ou qui agit en affectant une manière coquette et trop efféminée » (F).
3. *Naissance* : « Mis absolument, signifie quelquefois Noblesse » (A). *Celles de ma naissance* : les femmes de mon rang.
4. *Molles* : « Se dit fig. en choses morales de ce qui est flasque et sans vigueur, tant à l'égard du cœur que de l'esprit » (F). Les *adresses* sont des artifices : n. 1 de la p. 91.
5. *Amorce* : « Se dit fig. en morale des appâts qui attirent et persuadent l'esprit » (F).
6. Variante des éditions de 1647-1656 :
   « ... de vengeance et de haine » (v. 855).

7. *Un grand Roi* : Nicanor, mort, tué par Cléopâtre.
Variante des éditions de 1647-1656 :
   « *Et d'un honteux oubli rompant l'injuste loi*
   Rendez ce que je dois aux Mânes d'un grand Roi » (v. 857-858).
8. Variante des éditions de 1647-1656 :
   « *De colère et d'amour...* » (v. 860).

Page 94.

1. *Parricide* : criminelle. Voir n. 1 de la p. 54 et n. 3 de la p. 87.
2. *Fier* : confier, « commettre à la fidélité de quelqu'un » (A).
Variante des éditions de 1647-1656 :
   « *Fier même le nom...* » (v. 886).
3. *Confonds* : « Troubler, mettre en désordre, étonner, surprendre tout à fait » (R).
4. Variante des éditions de 1647-1656 :
   « *Dedans mes yeux surpris...* » (v. 896).

Page 95.

1. *Aucunement* : « Se dit aussi à l'affirmative pour dire : En quelque façon » (F). « Ce mot a vieilli en ce sens » (R).
2. *Élection* : « Choix qu'on a fait d'une personne pour être élevée à quelque dignité ou pour remplir quelque charge » (R).

Page 96.

1. *Heur* : bonheur. Voir n. 5 de la p. 59. Même sens au vers 977.
2. *Je dois* : j'ai des obligations, je suis redevable.
3. *J'entreprendrais* : empiéter. « Avec la préposition *sur*, se dit pour Usurper » (A).

Page 97.

1 *Autant comme* : tout autant que. Vaugelas condamne l'expression.
2. *Vous recule* : vous éloigne, vous retarde, alors que vous vous efforcez d'avancer.

Page 98.

1. *Quels travaux, quels services*: *travaux* désigne les épreuves qu'impose l'amour (voir n. 2 de la p. 82), *services* renvoie aux hommages rendus, à la cour faite.

2. *Degrés*: « Se dit fig. des choses qui servent de moyens pour parvenir à une plus haute » (F).

3. Variante des éditions de 1647-1656 :
> « *Parlez, et ce beau feu qui brûle l'un et l'autre*
> *D'une si prompte ardeur fuira votre désir*
> *Que vous-même en perdrez le pouvoir de choisir* » (v. 1004-1006).

Page 99.

1. Variante des éditions de 1647-1656 :
> « *Mais ayant su mon choix, si vous vous en plaignez* » (v. 1013).

2. *Chaleur*: « Signifie fig. Grande affection, zèle véhément, ardeur » (A).

3. Variante des éditions de 1647-1656 :
> « *Vous êtes l'un et l'autre, et sans plus me presser* » (v. 1025).

Page 100.

1. *Qui*. qu'est-ce qui ? Voir la n. 5 de la p. 84.

Page 101.

1. *En Parthe*: en décochant, tout en fuyant, une flèche sur ses poursuivants.

2. *Vous me gênez*: vous me torturez. Voir n. 1 de la p. 58.

Page 102.

1. *Nom*: « Signifie aussi Réputation » (A).

Page 103.

1. *Fières*: « Signifie aussi Cruel, barbare » (A).

Page 104.

1. Variante des éditions de 1647-1656 :
> « *... Ni maîtresse, ni mère,*
> *Si je ne prétends plus, n'ont plus de choix à faire,*
> *Je leur ôte le droit de vous faire la loi,*
> *Rodogune est à vous...* » (v. 1107-1110).

2. *S'approfondit* : pénètre plus profond.

3. *Ombres* : « Se prend encore pour Apparence » (A).

ACTE IV

Page 105.

1. Variante des éditions de 1647-1656 :
« *Qui de vous deux encore a la témérité*
De se croire... » (v. 1133-1134).

2. *Courage* : cœur. Voir n. 3 de la p. 64.

Page 106.

1. *Époux* : Nicanor, que Rodogune était venue épouser, est mort avant que le mariage puisse avoir lieu. *Époux* a donc ici le sens de *futur époux*, selon le sens qu'indique Nicot, dans son *Trésor de la langue française*, 1606 : « Est celui qui n'est que fiancé, et ne se peut encore porter pour mari. »

Page 107.

1. *Méconnaître* : ne pas reconnaître. « Se dit aussi d'un aveuglement volontaire » (F).

Page 108.

1. Variante des éditions de 1647-1656 :
« *... daigne être l'interprète.*
Elle s'explique assez à ce cœur qui l'entend,
Et vous lui rendrez plus que son ombre n'attend.
Mais aussi par ma mort vers elle dégagée
Rendez heureux mon frère après l'avoir vengée,
De deux Princes unis... » (v. 1184-1189).

2. Variante des éditions de 1647-1656 :
« *Et de reconnaissance et de sévérité* » (v. 1194).

3. Variante des éditions de 1647-1656 :
« RODOGUNE
Hélas !
ANTIOCHUS
Sont-ce les morts, ou nous que vous plaignez ?
Soupirez-vous pour eux, ou pour notre misère ?

RODOGUNE
  Allez, Prince, ou du moins rappelez votre frère » (v. 1198-1200).
  4. *Effort* : effet violent, « ouvrage produit par une action où on s'est efforcé de faire tout ce qu'on pouvait » (A).

Page 109.
  1. *Étrange* : « Extraordinaire » (R).
  2. *Les lois* : il s'agit des traités évoqués par Laonice au tout début de la pièce (v. 1-22), qui prévoient, pour sceller la paix entre les Parthes et le royaume syrien, le mariage de Rodogune avec le Prince héritier du trône de Syrie.

Page 110.
  1. Variante des éditions de 1647-1656 :
    « *Si pour d'autres que vous il m'ordonne de vivre* » (v. 1244)
  2. *Se confond* : se trouble. Voir n. 3 de la p. 94.
  3. Variante des éditions de 1647-1664 :
    « *Si tu veux triompher dedans notre aventure* » (v. 1251)

Page 111.
  1. *Prévenir* : devancer. Voir n. 4 de la p. 68.

Page 113.
  1. *Avons-nous dû* : aurions-nous dû. Cette valeur de conditionnel passé du passé composé de l'indicatif est fréquent avec *pouvoir* et *devoir* suivis d'un infinitif. Cette valeur, comme l'explique Nathalie Fournier, « explicite la non-réalisation du procès à l'infinitif » (*Grammaire du français classique, op. cit.*, p. 266). C'est le même emploi au vers 1309 : *vous avez dû*, pour *vous auriez dû*.
  2. *Irrite* : « Se dit fig. en choses morales et signifie Exciter, rendre plus vif et plus fort » (F).
  3. Variante des éditions de 1647-1656 :
    « *Ne vaut pas à vos yeux la peine d'y penser* » (v. 1322).
  4. *Injure* : injustice, « offense volontaire qu'on fait à quelqu'un contre la défense de la loi » (R).

Page 114.
  1. *Vous charme* : vous ensorcelle. Voir n. 3 de la p. 82.

Page 115.

1. Variante des éditions de 1647-1656 :
« *Ô trop heureuse fin d'un excès de misère !*
Je rends grâces aux Dieux qui m'ont rendu ma mère »
(v. 1359-1360).

2. Variante des éditions de 1647-1656 :
« *... et ce cœur s'est dompté.*
Je ne vous dis plus rien, vous aimez une mère » (v. 1362-1363).

Page 116.

1. Variante des éditions de 1647-1656 :
« *... à ses contentements* » (v. 1374).

2. *Sa colère* : la colère qui agitait ce grand courage, ce cœur généreux. *Courage* a le même sens de *cœur* au vers 1387.

Page 117.

1. *Éblouir* : aveugler, « troubler le jugement par des raisons spécieuses » (A).

2. *Trébuche* : « Signifie quelquefois simplement Tomber » (A).

Page 119.

1. *Prévenue* : devancée. Voir n. 4 de la p. 68.

2. Variante des éditions de 1647-1663 :
« *Que mon cœur n'ait cédés à ce frère avant vous* » (v. 1430).

Page 120.

1. Variante des éditions de 1647-1656 :
« *C'est ainsi qu'au dehors il traîne et s'assoupit,*
Et qu'il croit amuser de fausses patiences
Ceux dont il veut guérir les justes défiances » (v. 1434-1436).

2. Variante des éditions de 1647-1656 :
« *... après un coup fatal* » (v. 1445).

3. *Il fait de* : il agit à la façon de, il contrefait.

Page 121.

1. *Chaleurs indiscrètes* : ardeurs immodérées. *Indiscret* : « Qui agit par passion, sans considérer ce qu'il dit ou ce qu'il fait » (F).

2. *Ni faute d'yeux, ni faute de courage* : ni manque d'yeux, ni manque de courage.

3. Variante des éditions de 1647-1656 :
« *Non, Madame, et jamais vous ne verrez en moi* » (v. 1473).

Page 122.

1. Variante des éditions de 1647-1656 :
> « ... *d'immoler nos victimes*
> *Et de nous rendre heureuse, à force de grands crimes* »
>> (v. 1495-1496).

ACTE V

Page 123

1. *Moins d'un ennemi* : un ennemi de moins.
2. *Autant comme* : tout autant que. Voir n. 1 de la p. 97.

Page 124.

1. Variante des éditions de 1647-1656 :
« ... *à mon rang* » (v. 1514).
2. *Couronner* : mettre le comble à, porter à sa perfection.
3. Les éditions de 1647-1656 intercalent ici, entre les vers 1524 et 1525, quatre vers supprimés par la suite :
> « ... *ou couronner sa haine.*
> *Cette sorte de plaie est trop longue à saigner*
> *Pour en vivre impunie à moins que de régner.*
> *Régnons donc, aux dépens de l'une et l'autre vie,*
> *Et dût être leur mort de ma perte suivie,*
> *Dût le peuple...* ».
4. *Étrange* : extraordinaire.
5. *Remis* : rassuré, tranquille.
6. Variante des éditions de 1647-1656 :
« *Mourir est toujours moins que vivre leur sujette* » (v. 1536).

Page 125.

1. *Ordre* : cérémonial, règle, coutume.
2. *À la foule* : en foule.

Page 126.

1. *Votre obéissance* : notre obéissance envers vous.
2. *Avancer* : faire avancer, hâter, accélérer.

Page 127.

1. *Du Roi son frère* : il s'agit de Phraates, roi des Parthes et frère de Rodogune.

2. Variante des éditions de 1647-1656 :
«... *et qui fûtes* » (v. 1574).

3. *Traite plus ici de* : traite plus ici en souveraine.

4. Variante des éditions de 1647-1663 :
«... *et voici votre Reine* » (v. 1581).

Page 128.

1. *Ensemble, et* : « Signifie aussi Tout à la fois » (A). Il est souvent utilisé avec *et*, avec le sens de *en même temps que.*

Page 129.

1. *Que mes sens rappelés* : ranimés. Que je reprenne mes sens.

2. Variante des éditions de 1647-1656 :
« ANTIOCHUS
... *Parlez.*
TIMAGÈNE
Je ne puis, la douleur a tous mes sens troublés.
ANTIOCHUS
Quoi, qu'est-il arrivé ?
TIMAGÈNE
Le Prince votre frère...
ANTIOCHUS
Se voudrait-il bien rendre à mon bonheur contraire ? »
(v. 1605-1608)

Page 130.

1. *Divertir* : « Détourner, distraire » (A).

2. *Ennui* : désespoir, forte douleur. « Signifie aussi Fâcherie, chagrin, déplaisir » (A).

3. Variante des éditions de 1647-1656 :
« *Il semblait soupirer ce qu'il avait perdu* » (v. 1614).

4. Variante des éditions de 1647-1656 :
« CLÉOPÂTRE
Il est mort !
TIMAGÈNE
Oui, Madame.

ANTIOCHUS
Ah, mon frère !
CLÉOPÂTRE
Ah, mon fils !
RODOGUNE
Ah, funeste hyménée !
CLÉOPÂTRE
Ah ! Destins ennemis !
Voilà le coup fatal que je craignais dans l'âme » (v. 1621-1623).
5. Variante des éditions de 1647-1656 :
    « Et de sa propre main il s'est privé du jour » (v. 1626).

Page 131.

1. Variante des éditions de 1647-1656 :
                    « ... la douleur d'une mère
    Qui cherche à qui se prendre en sa juste colère,
    Vous avez vu sa mort, et sans autres témoins » (v. 1631-1633).
2. Variante des éditions de 1647-1656 :
                « ... entrouvre un œil mourant,
    Puis arrêtant sur moi ce reste de lumière
    Au lieu de Timagène il croit voir son cher frère,
    Et plein de votre idée... » (v. 1638-1641).
Idée : « Image qui se forme dans notre esprit par l'entremise
d'un objet extérieur ou de quelque autre manière de conce-
voir » (R).
3. *Lumière* : « Se prend quelquefois pour la vie » (F).

Page 132.

1. Variante des éditions de 1647-1656 :
    « Je te perds, mais je trouve... » (v. 1655).
2. *Je m'impute à forfait* : je mets sur mon compte, je considère
comme de ma culpabilité. « On dit aussi *Imputer à faute, à
blâme, à déshonneur,* pour dire : *Tourner à blâme,* etc. » (A).

Page 133.

1. Variante des éditions de 1647-1656 :
    « Avant qu'en soupçonner ou Madame, ou la Reine » (v. 1676).
2. Variante des éditions de 1647-1656 :
    « Contient, Seigneur, sans plus... » (v. 1678).
3. Une indication scénique intervient ici, à partir de l'édition
de 1692 (due à Thomas Corneille) : *Il tire son épée et veut se tuer.*

Page 134.

1. *Gêne* : « Torture, question, peine que l'on fait souffrir à un criminel pour lui faire avouer la vérité » (A). « Ce mot a été transporté à toute sorte de tourments, de tortures et de douleurs » (F).

2. Variante des éditions de 1647-1656 :
> *« Puis-je vivre et traîner le soupçon qui m'accable,*
> *Confondre l'innocente avecque la coupable,*
> *Vivre et ne pouvoir plus... »* (v. 1695-1697).

3. *Déplaisir* : douleur. Voir n. 3 de la p. 60.

4. *Parricide* : crime. Voir n. 1 de la p. 54.

Page 135.

1. *Possédez* : êtes maître de. « Se dit fig. en choses spirituelles et morales. Le favori possède l'esprit du Prince » (F).

2. *Un charme* : une puissance magique, un artifice, pour vous justifier. Voir n. 3 de la p. 82.

3. *Étonnée* : ébranlée. « Faire trembler par quelque violente commotion » (A). « Causer à l'âme de l'émotion » (F). Voir n. 2 de la p. 83.

4. *Au moindre jour ouvert* : à la moindre possibilité offerte. Jour : « Signifie fig. Facilité, moyen pour venir à bout de quelque affaire » (A).

5. *Passer pour* : faire passer pour.

Page 136.

1. *Passage* : moyen, voie ouverte pour.

2. *Mes attentats* : les attentats dont je serais l'objet.

3. Variante des éditions de 1647-1668 :
> *« Je ne me veux garder ni de vous, ni de vous »* (v. 1770).

Page 137.

1. *Poudre* : poussière.

2. Variante des éditions de 1647-1656 :
> *« Cette coupe est suspecte, elle vient de la sienne*
> *Ne prenez rien, Seigneur, d'elle, ni de la mienne.*
> CLÉOPÂTRE, *à Rodogune*
> *Qui m'épargnait tantôt m'accuse à cette fois.*
> RODOGUNE, *à Cléopâtre*
> *On ne peut craindre assez pour le salut des Rois.*

Pour ôter tout soupçon d'une noire pratique
Faites-en faire essai par quelque domestique » (v. 1783-1792).

Page 138.

1. *Ennuis* : douleurs. Voir n. 2 de la p. 130.

2. *Tout* : la correction est de Thomas Corneille en 1692, le texte original de Corneille portant *tous égarés* et faisant l'accord au masculin de *tout* adverbe, accord condamné par Vaugelas, qui constate dans ses *Remarques sur la langue française* que c'est « une faute que tout le monde fait ».

Page 139.

1. Les éditions de 1647-1660 intercalent ici les vers suivants, coupés ensuite :

                    « ... *ma rivale en ma place ?*
Je n'aimais que le trône, et de son droit douteux
J'espérais faire un don fatal à tous les deux,
Détruire l'un par l'autre, et régner en Syrie
Plutôt par vos fureurs que par ma barbarie.
Ton frère avecque toi [ton rival avec toi, 1660] trop fortement uni
Ne m'a point écoutée, et je l'en ai puni,
J'ai cru par ce poison en faire autant du reste,
Mais sa force trop prompte à moi seule est funeste.
Règne, de crime en crime... » (v. 1816-1817).

2. Variante des éditions de 1647-1656 :
« *Encor dans les rigueurs d'un sort si déplorable* » (v. 1831).

Page 140.

1. *Qui* : ce qui.

RÉSUMÉ

ACTE I

Laonice, la confidente de Cléopâtre, apprend à son frère Timagène, gouverneur des deux princes héritiers du trône, les événements récents qui ont amené Cléopâtre, la reine de Syrie, à vouloir faire la paix avec ses ennemis les Parthes et à désigner, ce jour même, celui de ses deux fils jumeaux qui lui succédera en épousant Rodogune, la princesse parthe. Laonice rappelle toute la complexité de la situation : la guerre entreprise par Nicanor, le roi époux de Cléopâtre, sa capture par les Parthes, le soulèvement à ce moment-là du traître Tryphon, l'annonce de la mort au combat de Nicanor, le remariage, imposé par le peuple, de Cléopâtre avec le frère de son défunt mari, la défaite de Tryphon, le refus du nouveau roi de céder la couronne à l'un des deux princes légitimes, la nouvelle guerre où il s'est lancé contre les Parthes (scène 1). Le récit de Laonice est interrompu par l'arrivée de l'un des deux princes, Antiochus, lequel vient demander à Timagène d'intervenir auprès de Séleucus son frère pour l'informer que lui, Antiochus, est disposé à lui céder la couronne pourvu qu'il lui laisse Rodogune, dont il est épris (scène 2). Séleucus, qui survient, confie à Antiochus que lui-même aime Rodogune et qu'il est prêt à renoncer au trône pourvu qu'Antiochus lui cède Rodogune. Découvrant leur rivalité, les deux frères, portés par leur amour fraternel, se mettent d'accord et décident que Rodogune sera reine et qu'elle épousera celui que Cléopâtre désignera pour occuper le trône (scène 3). Reprenant son récit après le départ des deux frères, Laonice raconte à Timagène la suite des événements : la mort du nouveau roi au combat, la nouvelle apportée à Cléopâtre que Nicanor son premier mari n'a pas péri mais qu'au contraire il s'apprête à épouser Rodogune, la princesse sœur du roi des Parthes, et à l'imposer sur le trône de Syrie, la guerre menée alors par Cléopâtre contre Nicanor et l'armée parthe, et sa victoire marquée par la disparition de Nicanor, qu'elle aurait tué de sa main, et la capture de Rodogune. Toutefois, pour ne pas attiser la colère des Parthes et faire la paix avec eux, Cléopâtre a décidé de se retirer et de révéler lequel de ses jumeaux est l'aîné, pour lui confier le trône. Mais, entre-temps, les deux frères, dès qu'ils ont vu Rodogune, sont tous deux tombés amoureux d'elle (scène 4). Celle-ci, qui survient, fait confidence à Laonice des craintes qu'elle a : elle redoute la vengeance de Cléopâtre et l'emprise que celle-ci a sur ses deux fils. Or elle-même est éprise de l'un des deux princes. Sans révéler celui dont il s'agit, elle est prête pourtant, pour apaiser les choses, à épouser celui que Cléopâtre désignera (scène 5).

ACTE II

Cléopâtre, seule, dévoile ses véritables sentiments. Elle n'est en réalité préoccupée que d'une seule chose : se venger de Rodogune, qu'elle hait, et dont elle veut la mort (scène 1). C'est ce qu'elle confie à Laonice, lui expliquant qu'elle seule détient tout le pouvoir, et qu'elle compte bien l'exercer pour assouvir sa vengeance (scène 2). Et lorsque ses deux fils paraissent, elle leur rappelle tout ce qu'elle a dû souffrir pour leur conserver le trône. Mais devant les réticences de ceux-ci à l'accepter, elle leur demande d'être dignes du don qu'elle veut leur faire de la couronne : elle désignera comme aîné, et donc comme roi, celui qui épousera sa vengeance et qui fera disparaître Rodogune (scène 3). Atterrés, Antiochus et Séleucus découvrent avec horreur la cruauté de leur mère. Mais tandis qu'Antiochus espère encore pouvoir ramener Cléopâtre à de meilleurs sentiments, Séleucus, n'espérant plus rien d'elle, essaie de convaincre son frère qu'il leur faut prendre eux mêmes leur destin en main et sauver par leur union et la couronne et leur amour (scène 4).

ACTE III

Laonice, qui reconnaît la perfidie de Cléopâtre, assure Rodogune de sa fidélité mais lui dit qu'elle ne peut rien faire de plus pour l'aider, ne voulant pas trahir Cléopâtre (scène 1). Oronte, ambassadeur des Parthes qui accompagne Rodogune pour l'épauler, conseille à celle-ci de chercher à régner, afin de neutraliser Cléopâtre. Et comme les forces dont lui-même dispose sont insuffisantes pour attaquer la reine de front, il lui suggère d'utiliser l'amour que les deux princes lui portent pour prendre en sous-main le pouvoir, en jouant ceux-ci contre leur mère (scène 2). Restée seule, Rodogune se refuse à agir de façon détournée auprès des deux princes et veut rester fidèle au souvenir de Nicanor, qu'elle a aimé et qui a été tué par Cléopâtre : pour le venger, elle veut chercher l'appui clair et direct du prince qu'elle aime désormais, sans qu'elle ose encore révéler duquel il s'agit (scène 3). À Antiochus et Séleucus qui la pressent de se déclarer pour l'un ou l'autre et de désigner ainsi celui avec qui elle régnera, elle refuse d'imposer son choix et s'interdit d'empiéter sur ce qui est du ressort de Cléopâtre, même si elle redoute la haine de celle-ci. Mais, devant l'insistance des deux princes, elle les met tous deux face à leurs responsabilités, leur annonçant qu'elle sera à celui qui vengera Nicanor (scène 4). Restés seuls, les deux frères réagissent de façon différente : Séleucus préfère renoncer à l'amour et au trône et se retirer devant son frère (scène 5), tandis qu'Antiochus, lui, espère encore et n'abandonne pas l'idée de faire fléchir les deux femmes (scène 6).

ACTE IV

Rodogune presse Antiochus de venger la mort de Nicanor en punissant Cléopâtre, mais Antiochus refuse d'affronter sa mère et propose sa vie à Rodogune, en lui demandant de prendre Séleucus pour époux. Rodogune lui avoue que c'est

lui, Antiochus, qu'elle aime. Et, par devoir, elle est prête à se
plier aux traités de paix, à renoncer à sa vengeance sur Cléopâtre, et à accepter d'épouser celui des deux princes que celle-
ci désignera comme l'aîné et l'héritier du trône (scène 1).
Antiochus, exalté par l'aveu de cet amour, se prépare à affronter Cléopâtre (scène 2). Celle-ci laisse éclater sa colère et son
ressentiment envers Rodogune et reproche à Antiochus d'avoir
pris contre elle le parti de la princesse. Antiochus s'en défend,
mettant sa vie dans la balance. Cléopâtre, se disant émue par
les sentiments de son fils, lui annonce que c'est lui l'aîné et
que c'est donc à lui que reviendront Rodogune et le trône
(scène 3). Puis elle demande à Laonice, qui croit à sa sincérité, de faire venir Séleucus pour lui annoncer la chose
(scène 4). Mais, restée seule, elle laisse éclater sa duplicité et
sa haine : elle n'a en rien renoncé à sa vengeance et se réserve
de le faire sentir très vite au trop crédule Antiochus (scène 5).
À Séleucus, elle reproche violemment d'avoir cédé à l'emprise
de Rodogune et lui affirme que c'est lui l'aîné, mais qu'elle
l'a déshérité pour Antiochus. Loin d'exciter sa jalousie, cette
annonce renforce Séleucus dans ses sentiments fraternels. Et
il fait valoir à Cléopâtre qu'il n'a aucune confiance en elle, et
que son sort lui convient (scène 6). Excédée par les réactions
de ses deux fils et par l'amour qu'ils portent à Rodogune,
Cléopâtre décide de les éliminer tous les deux au plus vite
ainsi que la princesse (scène 7).

ACTE V

Cléopâtre, seule, rumine sa vengeance : elle vient de faire
périr Séleucus par le fer, et s'apprête à éliminer maintenant
Antiochus et Rodogune par le poison (scène 1). Elle ne montre
rien de ses dispositions à Laonice qui vient lui annoncer l'arrivée, au milieu de la liesse populaire, de Rodogune et d'Antiochus, pour leur couronnement (scène 2). Cléopâtre accueille
son fils et Rodogune sous le signe de la paix entre Parthes et
Syriens et, feignant la douceur et la réconciliation, se dit prête
à leur remettre la couronne une fois qu'ils auront bu tous
deux la coupe que, selon le rite syrien, elle leur a fait prépa-
rer. Antiochus s'apprête à boire cette coupe le premier, sans

se douter que sa mère y a fait verser du poison (scène 3).
Timagène arrive, tout ébranlé : il vient annoncer la mort de
Séleucus, qu'il a trouvé agonisant dans son sang et n'ayant que
la force d'accuser dans son dernier souffle « une main qui
[leur] fut bien chère ». Antiochus, fou de douleur, ne sait quel
nom mettre sur cette « main bien chère » : Cléopâtre ou Rodogune ? Devant les affirmations de Cléopâtre, qui accuse Rodogune, et les arguments de celle-ci qui se défend en accusant
tacitement Cléopâtre, Antiochus se refuse à désigner la coupable et il s'apprête à boire la coupe. Rodogune tente de l'en
dissuader, soupçonnant que le breuvage est empoisonné, et
elle demande qu'il soit goûté par un domestique. Cléopâtre
devance l'épreuve en buvant la coupe elle-même, puis elle la
tend à Antiochus. Mais avant que celui-ci ait eu le temps de
boire, elle meurt sous l'effet foudroyant du poison, en mau-
dissant son fils, Rodogune et leur descendance (scène 4).

U MÊME AUTEUR

COLLECTION FOLIO THÉÂTRE

Composition Interligne.
Impression Société Nouvelle Firmin-Didot
à Mesnil-sur-l'Estrée, le 18 novembre 2005.
Dépôt légal : novembre 2005.
Numéro d'imprimeur : 76747.

ISBN 2-07-041946-0/Imprimé en France.

141597